中华少年经典阅读书系

绕口令

《中华少年经典阅读书系》编委会◎编著

注音彩绘版

ZHUYINCAIHUIBAN

WUHAN UNIVERSITY PRESS
武汉大学出版社

图书在版编目（CIP）数据

绕口令 /《中华少年经典阅读书系》编委会编著 . —武汉 : 武汉大学出版社 ,2013.7（2016.01 重印）
（中华少年经典阅读书系）
ISBN 978-7-307-10957-5

Ⅰ . ①绕…　Ⅱ . ①中…　Ⅲ . ①绕口令—汇编—中国　Ⅳ . ① I239.9

中国版本图书馆 CIP 数据核字（2013）第 146569 号

责任编辑：瞿　嵘　　程　佩　　　　版式设计：吕九州

出版发行：**武汉大学出版社**　（430072　武昌　珞珈山）
（电子邮件：cbs22@whu.edu.cn　网址：www.wdp.com.cn）
印刷：三河市兴国印务有限公司
开本：787 × 1092　1/16　印张：10　字数：100 千字
版次：2013 年 7 月第 1 版　2016 年 1 月第 3 次印刷
ISBN 978-7-307-10957-5　定价：19.80 元

前言

绕口令又叫“技歌”、“习歌”，是一种乡土歌谣，在中国文化中占有举足轻重的地位。它是文字与语法相结合而形成的一门艺术，其内容是由音同字不同或读音相近的一些字组合而成的，既能锻炼人们的口齿，又可作为休闲逗趣的话题。

绕口令的内容丰富多彩，有表现人物的，有表现植物的，有的还具有一定的情节。从字面上看，还有头字歌和数字歌等表现形式。它与孩子们的生活和学习有着密切的联系。朗读时，首先必须读准字音，而且要流利，做到眼到、口到、心到；其次必须字字响亮，不可多一字，不可少一字。

相信本书一定能够对孩子们的生活和学习有所帮助！

目录

zhōng guó fú wá
中国福娃

fú wá tā shì jí xiáng wù
福娃它是吉祥物，
fú wá wǔ gè lián zhe fú
福娃五个连着福。
wǔ huán wǔ xíng hé wǔ zhōu
五环五行和五洲，
wǔ fú wǔ zǐ dōu yǒu wǔ
五福五子都有五。
wǔ wǔ wǔ fú fú fú
五五五、福福福，
jīn mù shuǐ huǒ tǔ
金木水火土。
fú lián zhe wǔ wǔ lián zhe fú
福连着五，五连着福，
fú wá dàn shēng zài èr líng líng wǔ
福娃诞生在二零零五。

福娃

fú wá shì běi jīng nián ào yùn huì jí xiáng wù
福娃是北京2008年奥运会吉祥物，
tā xiàng shì jiè gè dì de hái zi men chuán dì le yǒu yì hé
它向世界各地的孩子们传递了友谊、和
píng jī jí jìn qǔ de jīng shén hé rén yǔ zì rán hé xié xiāng
平、积极进取的精神和人与自然和谐相
chǔ de měi hǎo yuàn wàng wǔ gè fú wá fēn bié jiào zuò bèi
处的美好愿望。五个福娃分别叫作“贝
bei jīng jing huān huan yíng
贝”、“晶晶”、“欢欢”、“迎
ying hé nī ni
迎”和“妮妮”。

zhuā tù
抓兔

yǒu wèi yé ye tā xìng fù, shàng jiē mǎi bù qù zuò kù。
有位爷爷他姓付，上街买布去做裤。

mǎi le bù, zuò wán kù, hū rán xiǎng qǐ méi mǎi cù,
买了布，做完裤，忽然想起没买醋，

huí tóu pèng jiàn yīng zhuā tù。fàng xià cù, gē xià kù,
回头碰见鹰抓兔。放下醋，搁下裤，

pǎo qù zhuī yīng hé zhuā tù。fēi le yīng, pǎo le tù。
跑去追鹰和抓兔。飞了鹰，跑了兔。

dǎ pò cù píng nòng shī kù。
打破醋瓶弄湿裤。

醋

zài pēng zhǔ shí wù shí, shì dàng jiā xiē cù, bù jǐn
在烹煮食物时，适当加些醋，不仅

néng tiáo wèi, hái néng yǒu xiào fáng zhǐ shí wù yíng yǎng liú shī,
能调味，还能有效防止食物营养流失，

tè bié shì yì xiē shū cài zhōng wéi shēng sù de liú shī。lìng
特别是一些蔬菜中维生素的流失。另

wài, cù suān néng yǒu xiào ruǎn huà yì xiē gǔ zhì, xiàng yú
外，醋酸能有效软化一些骨质，像鱼

cì。dàn yú cì bì jìng bǐ jiào xì cháng, jí
刺。但鱼刺毕竟比较细长，即

biàn shì bèi ruǎn huà le, yí yàng róng yì qiǎ zhù
便是被软化了，一样容易卡住

hóu lóng, suǒ yǐ chī shí hái shì yào xiǎo xīn。
喉咙，所以吃时还是要小心。

zhū tóu hé chú tou
猪头和锄头

zhū er káng chú tou, hū chī hū chī zǒu
猪儿扛锄头，呼哧呼哧走。

niǎo er míng zhī tóu, zhū er máng huí tóu
鸟儿鸣枝头，猪儿忙回头。

huí tóu héng chú tou, chú tou pèng shí tou
回头横锄头，锄头碰石头。

shí tou fēi zhī tóu, luò xià zá zhū tóu
石头飞枝头，落下砸猪头。

zhū er fú chú tou, chú tou zá zhū tóu
猪儿扶锄头，锄头砸猪头。

锄头

chú tou zài nóng mín rì cháng shēng huó zhōng qǐ zhe bù kě quē shǎo de zuò yòng, yì zhí yǐ lái, bèi nóng mín chēng wéi bì bèi de “xíng tou”。 xiàn zài, suí zhe kē jì de fā zhǎn, zài yì xiē nóng yè fā dá de dì qū, chú tou yǐ bèi xiàn dài huà de nóng yè gōng jù suǒ qǔ dài。

锄头在农民日常生活中起着不可缺少的作用，一直以来，被农民称为必备的“行头”。现在，随着科技的发展，在一些农业发达的地区，锄头已被现代化的农业工具所取代。

xià lìng yíng
夏令营

jīng jing líng ling hé yíng ying xià lìng yíng zhōng qù lǚ xíng
晶晶、灵灵和莹莹，夏令营中去旅行。
jīng jing yào qù kàn fēng jǐng líng ling yào qù kàn xīng xing
晶晶要去看风景，灵灵要去看猩猩。
yíng ying bù zhī gāi hé líng ling qù kàn xīng xing
莹莹不知该和灵灵去看猩猩，
hái shì hé jīng jing qù kàn fēng jǐng
还是和晶晶去看风景。

猩猩

xīng xing de wèi kǒu hěn dà yǒu de shí hou tā men huì
猩猩的胃口很大，有的时候它们会
huā shàng yì zhěng tiān zuò zài yì kē guǒ shù shang láng tūn hǔ
花上一整天坐在一棵果树上狼吞虎
yàn qí shí wù zhōng dà yuē yǒu shì guǒ shí tā men
咽。其食物中大约有60％是果实。它们
gēn běn bú zài hu guǒ shí shú méi shú zhuā guò lái
根本不在乎果实熟没熟，抓过来
jiù chī yàng zi kě ài jí le
就吃，样子可爱极了。

liú lǎo tóu
刘老头

liù shí liù suì de liú lǎo tóu mǎi le liù shí liù lǒu yóu
六十六岁的刘老头，买了六十六篓油，
gài le liù shí liù jiān lóu yǎng le liù shí liù tóu niú
盖了六十六间楼，养了六十六头牛，
zāi le liù shí liù kē liǔ liù shí liù lǒu yóu
栽了六十六棵柳。六十六篓油，
fàng zài liù shí liù jiān lóu liù shí liù tóu niú
放在六十六间楼；六十六头牛，
shuān zài liù shí liù kē liǔ hū rán yí zhèn kuáng fēng qǐ
拴在六十六棵柳。忽然一阵狂风起，
chuī fān liù shí liù lǒu yóu chuī dǎo liù shí liù jiān lóu
吹翻六十六篓油，吹倒六十六间楼，
zhé duàn liù shí liù kē liǔ zá sǐ liù shí liù tóu niú
折断六十六棵柳，砸死六十六头牛，
jí huài le liù shí liù suì de liú lǎo tóu
急坏了六十六岁的刘老头。

柳树

liǔ shù pǐn zhǒng hěn duō zhǔ yào yǒu chuí liǔ hé zá jiāo
柳树品种很多，主要有垂柳和杂交
liǔ chuí liǔ zhǔ yào yòng yú tíng yuán lǜ huà yě shì shuǐ xiāng
柳。垂柳主要用于庭园绿化，也是水乡、
píng yuán fáng làng hù àn de zhòng yào zào lín shù zhǒng liǔ shù
平原、防浪护岸的重要造林树种。柳树
shēng zhǎng xùn sù cái zhì zhōng děng nài fǔ kě yòng zuò
生长迅速，材质中等，耐腐，可用作
kuàng zhù nóng jù jiāo hé bǎn xiǎo xíng jiàn
矿柱、农具、胶合板、小型建
zhù bāo zhuāng xiāng zào zhǐ hé xiān wéi yòng cái
筑、包装箱、造纸和纤维用材。

xùn shòu
驯兽

xùn shòu shī wǔ lǎo wǔ jiào lái yǎn yuán hǔ tù shǔ
驯兽师，武老五，叫来演员虎兔鼠。

wǔ diǎn wǔ shí yào yǎn chū hǔ dǎ gǔ tù zhuō shǔ
五点五十要演出，虎打鼓，兔捉鼠。

shǔ bú ràng tù zhuō shǔ hǔ dǎ bù hǎo gǔ
鼠不让兔捉鼠，虎打不好鼓。

bù zhī gāi shì tù dǎ gǔ hái shì hǔ zhuō shǔ
不知该是兔打鼓，还是虎捉鼠，

yì shí jí huài le wǔ lǎo wǔ
一时急坏了武老五。

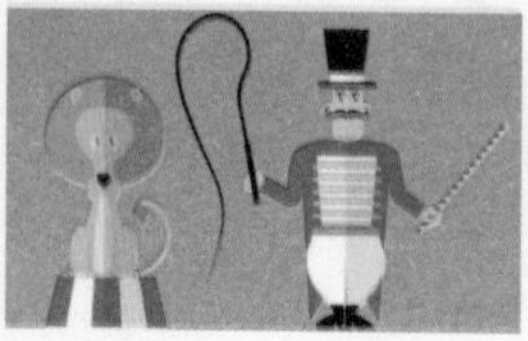

驯兽师

zài hǎi yáng guǎn li hǎi shī hǎi tún huì zuò chū gè zhǒng kě ài de dòng zuò zhè kě dōu shì xùn shòu shī de gōng láo xùn shòu shī xū yào yǒu fēi cháng hǎo de shuǐ xìng yīn wèi yì xiē dòng zuò shì xū yào rén hé dòng wù gòng tóng zài shuǐ xià biǎo yǎn de bǐ rú hǎi tún fēi rén jiù xū yào hǎi tún jiāng xùn shòu shī cóng shuǐ zhōng dǐng chū shuǐ miàn suǒ yǐ dāng yì míng xùn shòu shī kě bú shì yí jiàn róng yì de shì ne

在海洋馆里，海狮、海豚会做出各种可爱的动作，这可都是驯兽师的功劳。驯兽师需要有非常好的水性，因为一些动作是需要人和动物共同在水下表演的，比如海豚飞人，就需要海豚将驯兽师从水中顶出水面。所以当一名驯兽师可不是一件容易的事呢！

xiǎo liú péi yóu

小刘赔油

xiǎo liú cāo chǎng qù dǎ qiú tī dǎo lǎo niú yì píng yóu
小刘操场去打球，踢倒老牛一瓶油。
xiǎo liú huí jiā qǔ lái yóu xiàng lǎo niú dào qiàn yòu péi yóu
小刘回家取来油，向老牛道歉又赔油。
lǎo niú bú yào xiǎo liú huán yóu xiǎo liú yìng yào huán yóu gěi lǎo niú
老牛不要小刘还油，小刘硬要还油给老牛。
lǎo niú kuā xiǎo liú xiǎo liú zhí yáo tóu
老牛夸小刘，小刘直摇头。
nǐ cāi lǎo niú ràng xiǎo liú péi yóu
你猜老牛让小刘赔油，
hái shì bú ràng xiǎo liú péi yóu
还是不让小刘赔油。

打篮球

dǎ lán qiú zhī qián yòng jiāo bù chán rào jiǎo huái yǒu yù fáng niǔ shāng zhī xiào rán ér zuì yǒu xiào de fāng fǎ shì zuò jiǎo huái de zhǔn bèi cāo yòng jiǎo zuò cè tī qiú yùn dòng tóng shí yě néng qiáng huà jī ròu ruò bù xiǎo xīn niǔ shāng xiān jiāng huàn bù lěng fū zài shī jiā shì dàng de yā lì
打篮球之前用胶布缠绕脚踝，有预防扭伤之效。然而最有效的方法是做脚踝的准备操。用脚做侧踢球运动，同时也能强化肌肉。若不小心扭伤，先将患部冷敷，再施加适当的压力。

wō guō
窝、锅

shù xià yì kǒu guō shù shang yí gè wō
树下一口锅，树上一个窝。
wō diào zá dào guō wō guō dōu kē pò
窝掉砸到锅，窝锅都磕破。
wō yào guō péi wō guō yào wō péi guō
窝要锅赔窝，锅要窝赔锅。
nào le dà bàn tiān bù zhī gāi guō péi wō
闹了大半天，不知该锅赔窝，
hái shì wō péi guō
还是窝赔锅。

铁锅

rú guǒ cháng qī bú yòng tiě guō chǎo cài huì duì rén tǐ
如果长期不用铁锅炒菜，会对人体
jiàn kāng bú lì zhǔ yào shì huì yǐn qǐ quē tiě xìng pín xuè
健康不利，主要是会引起缺铁性贫血。
yīn wèi yòng tiě guō chǎo cài zài pēng tiáo cài yáo de guò chéng
因为用铁锅炒菜，在烹调菜肴的过程
zhōng yǒu jiào duō de tiě róng jiě zài shí wù nèi wèi rén men
中，有较多的铁溶解在食物内，为人们
yuán yuán bú duàn de gōng yìng tiě zhì bǔ chōng
源源不断地供应铁质，补充
le shí wù běn shēn hán tiě bù zú de bù fen
了食物本身含铁不足的部分，
qǐ dào le fáng zhǐ quē tiě xìng pín xuè de zuò yòng
起到了防止缺铁性贫血的作用。

hǎo bǎo bao

好宝宝

zhāo zhao zhào zhao hé hǎo hao dòng shǒu zhì zuò yǒu gāo zhāo

招招、召召和好好，动手制作有高招。

shuō hǎo diàn nǎo zhǎo zī liào hǎo hao zhǎo zhāo zhao chāo

说好电脑找资料，好好找，招招抄，

liáo tiān lái qǐng jiào lè de lǎo lao hā hā xiào

QQ聊天来请教。乐得姥姥哈哈笑，

hǎo bǎo bao bù jiāo ào gāo zhāo yuán yú qín dòng nǎo

好宝宝，不骄傲，高招源于勤动脑。

电脑

diàn nǎo yǐ jīng jìn rù qiān jiā wàn hù kuò dà le xiǎo péng yǒu men de yǎn jiè fēng fù le xiǎo péng yǒu men de zhī shi ràng tā men cóng xiǎo jiē chù gāo kē jì jiē shòu xiàn dài huà dàn diàn nǎo yě huì sǔn hài shì lì xiǎo hái zi hěn róng yì shàng yǐn huì bú yuàn zài qù shì wài huó dòng suǒ yǐ xiǎo péng yǒu men yí dìng yào guǎn lǐ hǎo zì jǐ kuài lè jiàn kāng de chéngzhǎng

电脑已经进入千家万户，扩大了小朋友们的眼界，丰富了小朋友们的知识，让他们从小接触高科技，接受现代化。但电脑也会损害视力，小孩子很容易上瘾，会不愿再去室外活动。所以小朋友们一定要管理好自己，快乐健康地成长。

nán nan hé lán lan
楠楠和篮篮

nán nan yǒu gè lán lan, lán lan zhuāng zhe pán pan,
楠楠有个篮篮，篮篮装着盘盘，

pán pan fàng zhe wǎn wan, wǎn wan chéng zhe fàn fan.
盘盘放着碗碗，碗碗盛着饭饭。

nán nan nòng fān lán lan, lán lan kòu le pán pan,
楠楠弄翻篮篮，篮篮扣了盘盘，

pán pan dǎ pò wǎn wan, wǎn wan sǎ le fàn fan.
盘盘打破碗碗，碗碗洒了饭饭。

饮食

rì cháng shēng huó zhōng, yǒu xiē rén yóu yú gōng zuò xū yào yìng chou kè rén, jīng cháng dà chī dà hē, yǐ zhì shēn tǐ cháng cháng zài bǎo shí hòu chū xiàn tóu yūn、ě xīn、zhī tǐ má mù、xīn tiào guò sù děng qíng kuàng. zhèng què de zuò fǎ shì chī qī bā fēn bǎo, shǎo chī duō cān. cháng dài sān fēn jī, jiān chí xià qù, jiù kě jiàn kāng cháng shòu.

日常生活中，有些人由于工作需要应酬客人，经常大吃大喝，以致身体常常在饱食后出现头晕、恶心、肢体麻木、心跳过速等情况。正确的做法是吃七八分饱，少吃多餐。常带三分饥，坚持下去，就可健康长寿。

yì jiā qīn
一家亲

xīn xin jīn jin hé lín lin
欣欣、今今和林林，
jìng lǎo yuàn li xiàn ài xīn
敬老院里献爱心。
xīn xin wèi yé ye tán qín
欣欣为爷爷弹琴，
lín lin gěi nǎi nai bǎ shī yín
林林给奶奶把诗吟。
jīn jin jiǎo bù qín
今今脚步勤，
bāng zhù dà jiā bǎ shuǐ līn
帮助大家把水拎，
ài xīn nóng nóng yì jiā qīn
爱心浓浓一家亲。

尊老爱幼

zūn lǎo ài yòu shì zhōng huá mín zú de yōu liáng chuán tǒng
尊老爱幼是中华民族的优良传统
hé měi dé wǒ men yīng dāng jì chéng hé fā yáng jìng lǎo
和美德，我们应当继承和发扬。敬老
yuàn de lǎo rén men dà duō gū kǔ wú yī gèng xū yào wǒ men
院的老人们大多孤苦无依，更需要我们
de guān xīn hé ài hù ér qiě lǎo rén men nián jì dà le
的关心和爱护。而且老人们年纪大了，
xíng dòng bú biàn hěn duō wǒ men jué de qīng ér yì jǔ de shì
行动不便，很多我们觉得轻而易举的事
qing duì lǎo rén men lái shuō dōu shì jiàn má fan
情，对老人们来说都是件麻烦
shì suǒ yǐ xiǎo péng yǒu men kuài qù jìng lǎo
事。所以，小朋友们快去敬老
yuàn xiàn ài xīn ba
院献爱心吧！

bǔ bí zi
补鼻子

hēi māo bái bí zi
黑猫白鼻子，
bái māo hēi bí zi
白猫黑鼻子；
hēi māo de bái bí zi
黑猫的白鼻子，
pèng pò le bái māo de hēi bí zi
碰破了白猫的黑鼻子。
bái māo de hēi bí zi pò le
白猫的黑鼻子破了，
bāo le bǐ gǔ ké bǔ bí zi
剥了秕谷壳补鼻子；
hēi māo de bái bí zi méi pò
黑猫的白鼻子没破，
bù bāo bǐ gǔ ké bǔ bí zi
不剥秕谷壳补鼻子。

猫

māo de fēn lèi, gēn jù tā pī máo cháng duǎn kě fēn wéi cháng máo māo、duǎn máo māo hé zhōng cháng máo māo。cháng máo māo de máo róu ruǎn ér péng sōng。gěi rén yōu yǎ měi lì de gǎn jué；duǎn máo māo shēn xíng jiáo jiàn，gěi rén líng qiǎo huó pō de yìn xiàng；zhōng cháng máo māo zé jiè yú liǎng zhě zhī jiān。
猫的分类，根据它披毛长短可分为长毛猫、短毛猫和中长毛猫。长毛猫的毛柔软而蓬松。给人优雅美丽的感觉；短毛猫身形矫健，给人灵巧活泼的印象；中长毛猫则介于两者之间。

qué zi
瘸子

dǎ běi bian lái le gè qué zi
打北边来了个瘸子，
shēn shang bēi zhe yì kǔn jué zi
身上背着一捆橛子。
dǎ nán bian yě lái le gè qué zi
打南边也来了个瘸子，
bèi shang bēi zhe yì kuāng qié zi
背上背着一筐茄子。
bēi jué zi de qué zi yào chī qié zi
背橛子的瘸子要吃茄子，
bēi qié zi de qué zi xiǎng yào jué zi
背茄子的瘸子想要橛子。
bēi jué zi de qué zi yòng jué zi dǎ bēi zhe qié zi de qué zi
背橛子的瘸子用橛子打背着茄子的瘸子，
bēi qié zi de qué zi yòng qié zi dǎ bēi zhe jué zi de qué zi
背茄子的瘸子用茄子打背着橛子的瘸子。

茄子

qié zi shì xīn xuè guǎn jí bìng huàn zhě de jiā shū jù
茄子是心血管疾病患者的佳蔬，具
yǒu hěn gāo de yíng yǎng jià zhí hán yǒu fēng fù de dàn bái zhì
有很高的营养价值，含有丰富的蛋白质、
zhī fáng táng gài lín tiě yǐ jí wéi shēng sùA wéi
脂肪、糖、钙、磷、铁以及维生素A、维
shēng sù děng yīn cǐ zhōng lǎo nián rén yǐ jí huàn xīn xuè
生素C等。因此，中老年人以及患心血
guǎn bìng huò dǎn gù chún gāo de rén jīng cháng chī
管病或胆固醇高的人，经常吃
xiē qié zi duì jiàn kāng cháng shòu shí fēn yǒu yì
些茄子，对健康长寿十分有益。

sì hé shí
四和十

sì shì sì shí shì shí
四是四，十是十，
shí sì shì shí sì
十四是十四，
sì shí shì sì shí
四十是四十。
shéi néng fēn de qīng
谁能分得清，
qǐng lái shì yí shì
请来试一试。

发音器官

rén tǐ de fā yīn qì guān zhǔ yào bāo kuò hū xī qì guān zhèn dòng qì guān gòng míng qì guān hé tǔ zì qì guān sì bù fen kǒu qiāng bí qiāng qì guǎn zhī qì guǎn fèi bù yǐ jí tóu bù xiōng bù de kōng qiāng qì guān dōu cān yù zhěng gè fā yīn guò chéng dāng rán méi yǒu shén jīng xì tǒng de zhǐ huī hé tīng jué qì guān de jiào zhèng rén tǐ fā yīn qì guān shì bù néng zhèng cháng gōng zuò de

人体的发音器官主要包括：呼吸器官、震动器官、共鸣器官和吐字器官四部分。口腔、鼻腔、气管、支气管、肺部以及头部、胸部的空腔器官都参与整个发音过程。当然，没有神经系统的指挥和听觉器官的校正，人体发音器官是不能正常工作的。

huān huan hé hān han
欢欢和憨憨

xióng māo huān huan hé hān han
熊猫欢欢和憨憨，
yì qǐ zhǎng dà hǎo huǒ bàn
一起长大好伙伴。
ān an ná zhú wèi hān han
安安拿竹喂憨憨，
hān han bù chī gěi huān huan
憨憨不吃给欢欢，
lè de ān an kuā hān han
乐得安安夸憨憨。

看图学英语
panda 熊猫

熊猫

xióng māo tǐ sè wéi hēi bái liǎng sè shēng zhǎng zài
熊猫，体色为黑白两色，生长在
zhōng guó sì chuān pén dì zhōu biān de shān qū shì zhōng guó tè
中国四川盆地周边的山区，是中国特
yǒu wù zhǒng yóu yú xióng māo de shēng yù lǜ dī ér qiě duì
有物种。由于熊猫的生育率低，而且对
shēng huó huán jìng yǒu xiāng dāng gāo de yāo qiú suǒ yǐ xióng māo
生活环境有相当高的要求，所以熊猫
shì bīn wēi wù zhǒng zhōng guó de guó bǎo xióng
是濒危物种、中国的国宝。熊
māo yě shì zhōng guó zài wài jiāo huó dòng zhōng biǎo
猫也是中国在外交活动中表
shì yǒu hǎo de zhòng yào dài biǎo
示友好的重要代表。

niē lí
捏梨

zhuō shang yí gè lí, shǒu li yì tuán ní,
桌上一个梨，手里一团泥，

yòng ní xué zuò lí。 kàn zhe lí,
用泥学做梨。看着梨，

niē zhe ní, zuò chéng lí。
捏着泥，做成梨。

zǐ xì kàn yí kàn, zhēn lí jiǎ lí chà bù lí。
仔细看一看，真梨假梨差不离。

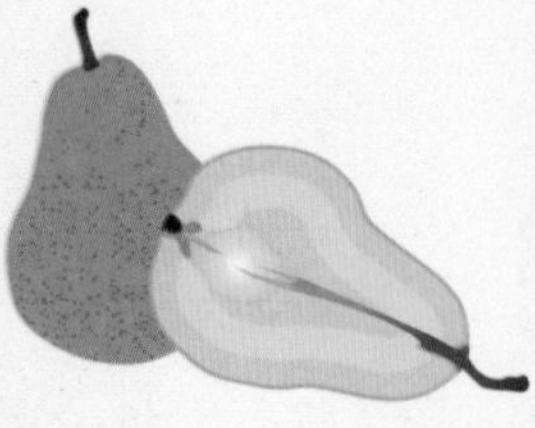

梨

lí zi zì gǔ bèi zūn wéi "bǎi guǒ zhī zōng", kě yǐ zhǐ ké rùn fèi。 kě xī dà jiā zhǐ zhī qí gōng xiào, ér hū lüè qí xìng zhì shì fǒu shì hé zì jǐ de tǐ zhì。 bú cuò, lí zi néng qīng xīn rùn fèi, dàn tā xìng zhì dài hán, tǐ zhì xū hán、 hán ké zhě bù yí shēng chī, bì xū gé shuǐ zhēng guò, huò zhě fàng táng, huò yǔ yào cái qīng dùn cái kě shí yòng。

梨子自古被尊为“百果之宗”，可以止咳润肺。可惜大家只知其功效，而忽略其性质是否适合自己的体质。不错，梨子能清心润肺，但它性质带寒，体质虚寒、寒咳者不宜生吃，必须隔水蒸过，或者放糖，或与药材清炖才可食用。

shī zi yǔ shì zi
狮子与柿子

shù xià zhàn zhe shí zhī shī zi
树下站着十只狮子，

shù shang zhǎng zhe shí gè shì zi
树上长着十个柿子。

shù xià zhàn zhe de shí zhī shī zi
树下站着的十只狮子，

xiǎng chī shù shang zhǎng de shí gè shì zi
想吃树上长的十个柿子。

狮子

shī zi shì māo kē dòng wù zhōng tǐ xíng zuì dà de chéng yuán zhī yī tōng cháng yǐ jiā zú de xíng shì qī xī zài cǎo yuán huò zhě guàn mù lín zhōng
狮子是猫科动物中体形最大的成员之一，通常以家族的形式栖息在草原或者灌木林中。

shī zi céng guǎng fàn fēn bù zài ōu yà dì qū xiàn zài zhǔ yào shēng huó zài fēi zhōu de dōng nán bù
狮子曾广泛分布在欧亚地区，现在主要生活在非洲的东南部。

shī zi de shí wù zhǔ yào shì líng yáng hé bān mǎ ǒu ěr yě chī yòu xiǎo de cháng jǐng lù
狮子的食物主要是羚羊和斑马，偶尔也吃幼小的长颈鹿。

shòu liè de gōng zuò zhǔ yào yóu mǔ shī lái wán chéng
狩猎的工作主要由母狮来完成。

dà lǎo hǔ hé xiǎo huī tù
大老虎和小灰兔

nán pō yì zhī dà lǎo hǔ, běi pō yì zhī xiǎo huī tù.
南坡一只大老虎，北坡一只小灰兔。
nán pō lǎo hǔ è dù du, xiǎng chī běi pō xiǎo huī tù.
南坡老虎饿肚肚，想吃北坡小灰兔。
hǔ zhuī tù, tù duǒ hǔ,
虎追兔，兔躲虎，
nán pō běi pō zhuī huī tù,
南坡北坡追灰兔，
cì er zā tòng hǔ pì gu.
刺儿扎痛虎屁股。
qì huài le dà lǎo hǔ,
气坏了大老虎，
lè huài le xiǎo huī tù.
乐坏了小灰兔。

虎

hǔ xǐ huan huó dòng yú cóng lín zhī zhōng, dú lái dú wǎng, dòng zuò jiǎo jiàn, yǒu "sēn lín zhī wáng" zhī chēng. hǔ fēn bù zài yà zhōu, kě shēng huó zài gè zhǒng qì hòu zhī xià, quán shēn dà bù fen de máo wéi huáng hè sè, dài yǒu bù guī zé de hēi sè héng wén. hǔ máo zài sēn lín zhōng fā huī le bǎo hù sè de zuò yòng.

虎喜欢活动于丛林之中，独来独往，动作矫健，有“森林之王”之称。虎分布在亚洲，可生活在各种气候之下，全身大部分的毛为黄褐色，带有不规则的黑色横纹。虎毛在森林中发挥了保护色的作用。

guó guo hé hè he
国国和贺贺

guó guo hé hè he
国国和贺贺，
yì qǐ tiào gé ge
一起跳格格。
tiào zhe gé chàng zhe gē
跳着格，唱着歌，
shū de shǎo lái yíng de duō
输的少来赢的多，
lè huài le guó guo hé hè he
乐坏了国国和贺贺。

跳格格

tiào gé ge yóu xì shǔ yú yì zhǒng mín jiān yóu xì
“跳格格”游戏属于一种民间游戏，
wán fǎ duō yàng xiǎo péng yǒu men zài dì shang huà hǎo gé zi
玩法多样。小朋友们在地上画好格子
tú dìng hǎo guī zé jiù kě yǐ wán le tiào gé shí bù xǔ
图，定好规则就可以玩了。跳格时不许
cǎi xiàn kě héng tiào shù tiào duì jiǎo tiào dān jiǎo tiào
踩线，可横跳、竖跳、对角跳、单脚跳
děng hái kě zài gé zhōng jiā shù zì zēng jiā
等，还可在格中加数字，增加
yóu xì nán dù
游戏难度。

fěn hóng fèng huáng
粉红凤凰

fěn hóng qiáng shang huà fèng huáng, fèng huáng huà zài fěn hóng qiáng。
粉红墙上画凤凰，凤凰画在粉红墙。
fěn fèng huáng、hóng fèng huáng, fěn hóng fèng huáng huáng fèng huáng。
粉凤凰、红凤凰，粉红凤凰黄凤凰。

凤凰

fèng huáng shì zhōng guó gǔ dài chuán shuō zhōng de niǎo zhōng zhī wáng, qí xióng xìng jiào "fèng", cí xìng chēng "huáng", zǒng chēng jiào "fèng" huò "fèng huáng"。zài zhōng huá mín zú de wén huà zhōng, tā yǔ lóng bìng jià qí qū, bèi rén men shì dài jìng yǎng、chóng bài, cóng ér chuàng zào chū fēng fù càn làn de lóng fèng wén huà。

凤凰是中国古代传说中的鸟中之王，其雄性叫“凤”，雌性称“凰”，总称叫“凤”或“凤凰”。在中华民族的文化中，它与龙并驾齐驱，被人们世代敬仰、崇拜，从而创造出丰富灿烂的龙凤文化。

mão zhuō shǔ
猫捉鼠

cāng kù lǐ bian yǒu dào gǔ, xiǎo māo lè le lái kān hù.
仓库里边有稻谷，小猫乐乐来看护。

tū jiàn yì zhī dà lǎo shǔ, tōu tōu mō mō lái chī gǔ.
突见一只大老鼠，偷偷摸摸来吃谷。

lè le jí máng pǎo guò qù, xià de lǎo shǔ xīn dǎ gǔ.
乐乐急忙跑过去，吓得老鼠心打鼓。

yǎn kàn xiǎo mìng yào rù tǔ, lǎo shǔ guāi guāi chéng fú lǔ.
眼看小命要入土，老鼠乖乖成俘虏。

鼠

yì bān suǒ shuō de shǔ bāo kuò shǔ shǔ hé xiǎo shǔ shǔ liǎng lèi. shǔ shǔ de tǐ xíng jiào dà, cháng jiàn de yǒu hēi shǔ hé hè shǔ. hēi shǔ cháng zhù cháo xué zài wū dǐng、shù shang. hè shǔ cháng jū yú pái shuǐ gōu、dì xià. xiǎo shǔ shǔ de tǐ xíng jiào xiǎo, jū yú wū yǔ、tián yě zhōng.

一般所说的鼠包括鼠属和小鼠属两类。鼠属的体型较大，常见的有黑鼠和褐鼠。黑鼠常筑巢穴在屋顶、树上。褐鼠常居于排水沟、地下。小鼠属的体型较小，居于屋宇、田野中。

bāo gǔ huàn bān zhú
包谷换斑竹

bān zhú lín li yǒu bān zhú，bāo gǔ lín li yǒu bāo gǔ。
斑竹林里有斑竹，包谷林里有包谷。
wáng xiǎo zǒu jìn bāo gǔ lín，suí shǒu bāi le gān bāo gǔ。
王小走进包谷林，随手掰了干包谷。
hòu lái lù guò bān zhú lín，yòu yòng bāo gǔ huàn bān zhú。
后来路过斑竹林，又用包谷换斑竹。

玉米

yún nán sú chēng yù mǐ wéi bāo gǔ。yù mǐ de gù xiāng zài mò xī gē hé bì lǔ，dà yuē 16 shì jì chuán rù wǒ guó。yù mǐ zhōng de zhī fáng shì yì zhǒng liáng hǎo de yào wù，kě jiàng dī xuè yè zhōng dǎn gù chún bìng róu huà dòng mài xuè guǎn，shì dòng mài yìng huà zhèng、guàn xīn bìng、gāo xuè yā、zhī fáng gān huàn zhě de lǐ xiǎng shí pǐn。
云南俗称玉米为包谷。玉米的故乡在墨西哥和秘鲁，大约16世纪传入我国。玉米中的脂肪是一种良好的药物，可降低血液中胆固醇并柔化动脉血管，是动脉硬化症、冠心病、高血压、脂肪肝患者的理想食品。

má zì gē
麻字歌

má jiā yé ye ná zhe gè má kǒu dai
麻家爷爷拿着个麻口袋，
lù guò má jiā pó po de jiā mén kǒu
路过麻家婆婆的家门口。
má jiā pó po de yì zhī má huā gǒu
麻家婆婆的一只麻花狗，
yǎo pò le má jiā yé ye de má kǒu dai
咬破了麻家爷爷的麻口袋。
má jiā pó po ná lái zhēn hé xiàn
麻家婆婆拿来针和线，
féng bǔ má jiā yé ye de má kǒu dai
缝补麻家爷爷的麻口袋。

狗

gǒu biàn bù shì jiè gè dì jīng rén lèi cháng qī xùn yǎng hòu yǐ yǒu xǔ duō pǐn zhǒng rén lèi lì yòng tā men jī jǐng mǐn jié zhì lì gāo róng yì xùn fú de tè xìng jiā yǐ xùn liàn lái bāng zhù rén lèi zuò xǔ duō shì qing lì rú kān jiā lā xuě qiāo sōu suǒ shòu liè dǎo máng jiù nàn mù yáng děng gǒu shì rén lèi zhōng shí de péng yǒu
狗遍布世界各地，经人类长期驯养后，已有许多品种。人类利用它们机警、敏捷、智力高、容易驯服的特性，加以训练来帮助人类做许多事情，例如看家、拉雪橇、搜索、狩猎、导盲、救难、牧羊等。狗是人类忠实的朋友。

gǎn jí
赶集

lǐ li tiāo lí qù gǎn jí，lǚ lí kǎo jí qù lián xī。
李李挑梨去赶集，吕离考级去连溪。

tiāo lí gǎn jí de lǐ li，pèng jiàn kǎo jí qù lián xī de lǚ lí。
挑梨赶集的李李，碰见考级去连溪的吕离。

lǐ li ràng lǚ lí，dài shàng jǐ gè lí。
李李让吕离，带上几个梨。

qù lián xī kǎo jí de lǚ lí，bù kěn yào tiāo lí gǎn jí lǐ li de lí。
去连溪考级的吕离，不肯要挑梨赶集李李的梨。

tā kǎo jí qù lián xī hěn zháo jí，
他考级去连溪很着急，

qù lián xī kǎo jí de lǚ lí，shuō bú guò tiāo lí qù gǎn jí de lǐ li。
去连溪考级的吕离，说不过挑梨去赶集的李李。

dài shàng lí，qù kǎo jí，lǐ li zhù lǚ lí kǎo jí dé shèng lì。
带上梨，去考级，李李祝吕离考级得胜利。

赶集

zài shān dōng yí dài de nóng cūn，wèi le fāng biàn rén men mǎi dōng xi、mài dōng xi，cháng cháng zài yí piàn qū yù nèi，xíng chéng jǐ gè gù dìng de shì chǎng，rén men chēng zhī wéi“jí”，jí jí shì de yì si。zhè xiē jí shì bú shì měi tiān dōu yǒu rén qù，ér shì jǐ gè jí shì àn shùn xù kāi jí，rén men zài mǒu gè jí shì de gù dìng rì qī dào gāi jí shì mǎi mài，sú chēng“gǎn jí”。

在山东一带的农村，为了方便人们买东西、卖东西，常常在一片区域内，形成几个固定的市场，人们称之为“集”，即集市的意思。这些集市不是每天都有人去，而是几个集市按顺序开集，人们在某个集市的固定日期到该集市买卖，俗称“赶集”。

shí shī zi chī sè shì zi
石狮子吃涩柿子

shù shang zhǎng zhe sì shí sì gè sè shì zi
树上长着四十四个涩柿子，
shù xià lì zhe sì shí sì tóu shí shī zi
树下立着四十四头石狮子。
shù xià de sì shí sì tóu shí shī zi
树下的四十四头石狮子，
yào chī shù shang de sì shí sì gè sè shì zi
要吃树上的四十四个涩柿子。
sè shì zi bú ràng shí shī zi chī sè shì zi
涩柿子不让石狮子吃涩柿子，
shí shī zi piān yào chī sè shì zi
石狮子偏要吃涩柿子。

柿子

shì zi fēn tián shì hé sè shì liǎng zhǒng pǔ biàn zāi péi de dà duō wéi sè shì sè shì zi yǒu kǔ sè wèi bì xū jīng tuō sè hòu cái néng shí yòng sè shì bù néng zài shù shang tuō sè bì xū zài cǎi hòu yòng gè zhǒng fāng fǎ tuō sè cǎi hòu zài cháng wēn xià zhù fàng róng yì fǔ làn
柿子分甜柿和涩柿两种，普遍栽培的大多为涩柿。涩柿子有苦涩味，必须经脱涩后才能食用。涩柿不能在树上脱涩，必须在采后用各种方法脱涩。采后在常温下贮放，容易腐烂。

sì zhī dào diào niǎo
四只倒吊鸟

wū li liǎng zhī dào diào niǎo
屋里两只倒吊鸟，
wū wài liǎng zhī niǎo dào diào
屋外两只鸟倒吊。
wū li de liǎng zhī dào diào niǎo
屋里的两只倒吊鸟，
diàn zhe wū wài de liǎng zhī niǎo dào diào
惦着屋外的两只鸟倒吊。
wū wài de liǎng zhī niǎo dào diào
屋外的两只鸟倒吊，
yě diàn zhe wū li de liǎng zhī dào diào niǎo
也惦着屋里的两只倒吊鸟。

蜂鸟

shì jiè shang zuì xiǎo de niǎo yào suàn shì fēng niǎo le
世界上最小的鸟要算是蜂鸟了。
fēng niǎo fēn bù zài měi zhōu yǒu xǔ duō zhǒng qí zhōng shēn tǐ
蜂鸟分布在美洲，有许多种，其中身体
zuì dà de gēn jiā yàn chà bu duō zuì xiǎo de què bǐ huáng fēng
最大的跟家燕差不多，最小的却比黄蜂
hái xiǎo fēng niǎo yǔ máo xiān yàn cháng cháng chuān fēi yú huā
还小。蜂鸟羽毛鲜艳，常常穿飞于花
cóng zhōng yòng tā nà yòu xì yòu cháng de huì xī shí huā mì
丛中，用它那又细又长的喙吸食花蜜。
tā hái yǒu yí gè yǒu qù de tè diǎn jiù shì
它还有一个有趣的特点，就是
néng zài fēi xíng zhōng xuán kōng dìng shēn huò dào tuì
能在飞行中悬空定身或倒退
fēi xíng
飞行。

huà huà
画画

huá hua hé wá wa，yì qǐ lái huà huà。
华华和娃娃，一起来画画。

huá hua huà duǒ huā，huā luò jiē gè guā。
华华画朵花，花落结个瓜。

wá wa huà zhī wā，wā bèng lái kěn guā。
娃娃画只蛙，蛙蹦来啃瓜。

huā jiē guā，wā kěn guā，lè huài le wá wa hé huá hua。
花结瓜，蛙啃瓜，乐坏了娃娃和华华。

青蛙

qīng wā hé wǒ men rén lèi yí yàng，yě shì yòng fèi hū xī，dàn tā hái yǒu dú mén jué jì：tōng guò shī rùn de pí fū cóng kōng qì zhōng xī qǔ yǎng。tā pí fū li de gè zhǒng sè sù xì bāo hái huì suí shī dù wēn dù de gāo dī ér kuò sàn huò shōu suō，suǒ yǐ qīng wā de fū sè huì shēn qiǎn bù yī。

青蛙和我们人类一样，也是用肺呼吸，但它还有独门绝技：通过湿润的皮肤从空气中吸取氧。它皮肤里的各种色素细胞还会随湿度温度的高低而扩散或收缩，所以青蛙的肤色会深浅不一。

xiǎo huā gǔ
小花鼓

wǒ yǒu yí miàn xiǎo huā gǔ, gǔ shang huà zhe dà lǎo hǔ.
我有一面小花鼓，鼓上画着大老虎。
huā gǔ lòu le yí gè dòng, mā ma yòng bù lái bǔ gǔ.
花鼓漏了一个洞，妈妈用布来补鼓。
dào dǐ shì bù bǔ gǔ, hái shì bù bǔ hǔ.
到底是布补鼓，还是布补虎。

凤阳花鼓戏

fèng yáng huā gǔ xì hé huā gǔ dēng、fèng yáng huā gǔ bèi tǒng chēng wéi "fèng yáng sān huā". fèng yáng huā gǔ xì, yě jiào "wèi diào huā gǔ xì". liú xíng yú yuán fèng yáng cháng huái wèi yí dài (jīn shǔ bèng bù). qīng zhōng yè yǐ qián, fèng yáng zhè yí dài dōu shì xiān wán huā gǔ dēng, rán hòu chàng wèi diào. huā gǔ xì de chàng qiāng, shuō chàng xìng qiáng, dàn qǔ diào guī gé bù yán.

凤阳花鼓戏和花鼓灯、凤阳花鼓被统称为"凤阳三花"。凤阳花鼓戏，也叫"卫调花鼓戏"。流行于原凤阳长淮卫一带（今属蚌埠）。清中叶以前，凤阳这一带都是先玩花鼓灯，然后唱卫调。花鼓戏的唱腔，说唱性强，但曲调规格不严。

huā qīng wā
花青蛙

yì zhī huā qīng wā， zhěng tiān jiào guā guā
一只花青蛙，整天叫呱呱。

xián zhe méi shì kàn xī guā， qīng wā xī guā hù xiāng kuā
闲着没事看西瓜，青蛙西瓜互相夸。

xī guā kuā qīng wā zhǎng de huā， qīng wā kuā xī guā zhǎng de dà
西瓜夸青蛙长得花，青蛙夸西瓜长得大。

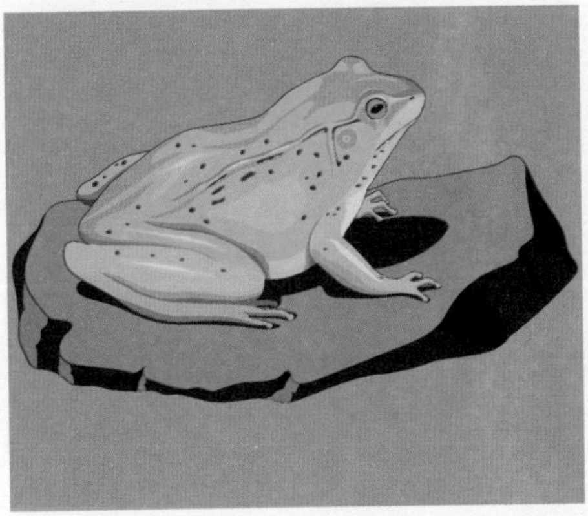

西瓜

xī guā hán yǒu wéi shēng sù A、B1、B2、wéi shēng sù C， tóng shí tā bù hán zhī fáng， yīn cǐ， chī le bú dàn kě yǎng yán měi róng， hái bú huì pàng。 chú cǐ zhī wài， tā hái kě xiāo shǔ jiě kě lì niào。 bú guò， xī guā bù yí chī guò liàng， fǒu zé huì yǐn qǐ xiāo huà bù liáng jí fù xiè。

西瓜含有维生素A、B1、B2、维生素C，同时它不含脂肪，因此，吃了不但可养颜美容，还不会胖。除此之外，它还可消暑解渴利尿。不过，西瓜不宜吃过量，否则会引起消化不良及腹泻。

duàn liàn

锻炼

lǎo qián qí chē qù duàn liàn， duàn liàn qí chē chē liàn duàn，
老钱骑车去锻炼，锻炼骑车车链断，
jí de lǎo qián zhǎo lǎo duàn， bāng tā xiū duàn liàn nòng de duàn liàn。
急得老钱找老段，帮他修锻炼弄的断链。
lǎo duàn xiào lǎo qián， nǐ yào duàn liàn jiù duàn liàn，
老段笑老钱，你要锻炼就锻炼，
wèi hé nòng de chē duàn liàn， duàn liàn liàn duàn zěn duàn liàn？
为何弄得车断链，锻炼链断怎锻炼？

运动

xiǎo péng yǒu men zài yùn dòng hòu， wǎng wǎng xǐ huan chī lěng shí huò hē lěng yǐn， zhè kě bú shì hǎo xí guàn。 lěng de dōng xi huì cì jī wèi cháng de xuè guǎn tū rán shōu suō， yǐn qǐ gōng néng wěn luàn， hái huì cì jī hóu bù， kě néng huì dǎo zhì hóu bù fā yán、 fā tòng， shēng yīn fā yǎ。

小朋友们在运动后，往往喜欢吃冷食或喝冷饮，这可不是好习惯。冷的东西会刺激胃肠的血管突然收缩，引起功能紊乱，还会刺激喉部，可能会导致喉部发炎、发痛，声音发哑。

sū hú zi hé hú shū zi

苏胡子和胡梳子

sū zhōu yǒu gè hú shū zi
苏州有个胡梳子，

hú zhōu yǒu gè sū hú zi
湖州有个苏胡子。

hú shū zi mǎi bǎ fǔ zi zuò shū zi
胡梳子买把斧子做梳子，

sū hú zi mǎi bǎ shū zi shū hú zi
苏胡子买把梳子梳胡子。

胡须

nán hái zi dào yí dìng nián líng jiù yào zhǎng hú xū yǒu
男孩子到一定年龄就要长胡须，有
de zhǎng de zǎo xiē duō xiē yǒu de zhǎng de wǎn xiē shǎo xiē
的长得早些多些，有的长得晚些少些，
yǒu de jí zhōng yú kǒu chún zhōu wéi yǒu de biàn jí liǎng sāi
有的集中于口唇周围，有的遍及两腮，
zhè xiē dōu shì zhèng cháng de shēng lǐ xiàn xiàng
这些都是正常的生理现象。
hú xū de chū xiàn yì wèi zhe nán hái zi dì èr
胡须的出现，意味着男孩子第二
xìng zhēng de fā yù
性征的发育。

hēi māo bái māo
黑猫白猫

miào li yǒu zhī lǎn bái māo
庙里有只懒白猫，
miào wài yǒu zhī chán hēi māo
庙外有只馋黑猫。
miào li bái māo mà miào wài hēi māo shì chán māo
庙里白猫骂庙外黑猫是馋猫，
miào wài hēi māo mà miào li bái māo shì lǎn māo
庙外黑猫骂庙里白猫是懒猫。

猫

māo ài qīng jié jiǎng wèi shēng yì bān bù suí dì dà
猫爱清洁、讲卫生，一般不随地大
xiǎo biàn biàn hòu lì jí yòng shā tǔ yǎn gài bìng qiě yòng bí
小便，便后立即用沙土掩盖，并且用鼻
zi xiù yí xiù kàn yǎn gài hǎo méi yǒu yīn cǐ rén men
子嗅一嗅，看掩盖好没有。因此，人们
zài wū nèi shè zhì biàn pén nèi chéng shā tǔ huò
在屋内设置便盆，内盛沙土或
méi huī biàn néng gān jìng de shōu jí māo de fèn
煤灰，便能干净地收集猫的粪
biàn
便。

jīn　jīn　jīng　jǐng
巾、金、睛、景

xiǎo jīn dào běi jīng kàn fēng jǐng　xiǎo jīng dào tiān jīn mǎi shā jīn
小金到北京看风景，小京到天津买纱巾。
kàn fēng jǐng　yòng yǎn jing　hái dài yí gè wàng yuǎn jìng
看风景，用眼睛，还带一个望远镜。
mǎi shā jīn　dài xiàn jīn
买纱巾，带现金，
hái yào zǒng bǎ shāng diàn jìn
还要总把商店进。
mǎi shā jīn　yòng xiàn jīn
买纱巾，用现金；
kàn fēng jǐng　yòng yǎn jing
看风景，用眼睛。
jīn　jīn　jīng　jǐng yào fēn qīng
巾、金、睛、景要分清。

望远镜

jiàn yì nián líng zài　suì de zhōng　xiǎo xué
建议年龄在10~15岁的中、小学
shēng　gòu mǎi qīng biàn xíng wàng yuǎn jìng　qí gōng néng duō
生，购买轻便型望远镜。其功能多，
jì kě shǎng xīng　shǎng niǎo　yòu kě kàn fēng jǐng　ér nián líng
既可赏星、赏鸟，又可看风景。而年龄
zài　suì zhī jiān de gāo zhōng shēng　ruò lì dìng zhì
在15~20岁之间的高中生，若立定志
xiàng xiǎng dāng tiān wén xué jiā　zé kě gòu mǎi zhé shè shì jīng wěi
向想当天文学家，则可购买折射式经纬
yí tiān wén wàng yuǎn jìng　zhè zhǒng wàng yuǎn jìng
仪天文望远镜。这种望远镜
jià gé dī lián　cāo zuò róng yì　shì zuì hǎo
价格低廉、操作容易，是最好
de rù mén jī zhǒng
的入门机种。

yǎng yú
养鱼

xiǎo qú yǎng xiǎo yú ér bù yǎng dà yú
小渠养小鱼而不养大鱼，
dà qú yǎng dà yú ér bù yǎng xiǎo yú
大渠养大鱼而不养小鱼。
yì tiān tiān xià yǔ, xià le yì tiān yǔ
一天天下雨，下了一天雨。
dà qú shuǐ liú jìn le xiǎo qú
大渠水流进了小渠，
xiǎo qú shuǐ liú jìn le dà qú
小渠水流进了大渠。
dà qú li yǒu le xiǎo yú bú jiàn le dà yú
大渠里有了小鱼不见了大鱼，
xiǎo qú li yǒu le dà yú bú jiàn le xiǎo yú
小渠里有了大鱼不见了小鱼。

鱼

yú de zhǒng lèi bù tóng, yíng yǎng jià zhí hé shí yòng shí de fēng wèi yě bù tóng. zài yú lèi shēng chǎn shang, wǒ guó yǒu dé tiān dú hòu de yōu liáng pǐn zhǒng, bù jǐn yǒu yù mǎn tiān xià de lián yú、yōng yú、cǎo yú、qīng yú “sì dà jiā yú”, hái yǒu lǐ yú、jì yú、fáng yú děng.

鱼的种类不同，营养价值和食用时的风味也不同。在鱼类生产上，我国有得天独厚的优良品种，不仅有誉满天下的鲢鱼、鳙鱼、草鱼、青鱼“四大家鱼”，还有鲤鱼、鲫鱼、鲂鱼等。

dòu kuāng hé yóu gāng
豆筐和油缸

dòu kuāng zhuāng mǎn dòu, yóu gāng zhuāng mǎn yóu
豆筐装满豆，油缸装满油。

dòu kuāng lòu jìn yóu, yóu gāng diào jìn dòu
豆筐漏进油，油缸掉进豆。

dòu yào yóu péi dòu, yóu yào dòu péi yóu
豆要油赔豆，油要豆赔油；

gāng yào kuāng péi gāng, kuāng yào gāng péi kuāng
缸要筐赔缸，筐要缸赔筐。

kuāng shang yí piàn yóu, gāng shang yì duī dòu
筐上一片油，缸上一堆豆；

pīng pāng yì shēng xiǎng, yóu gāng pèng dòu kuāng
乒乓一声响，油缸碰豆筐。

大豆

dòu lèi hán yǒu fēng fù de dàn bái zhì, hán liàng gāo dá 35%~40%, qí zhōng dà dòu dàn bái shì zuì hǎo de zhí wù xìng yōu zhì dàn bái zhì, bù jǐn rú cǐ, dà dòu hái hán yǒu fēng fù de gài、lín、tiě jí B zú wéi shēng sù。yóu yú dà dòu jí qí zhì pǐn yǒu rú cǐ duō de yōu diǎn, gù cǐ yíng dé le “zhí wù ròu” de měi chēng。

豆类含有丰富的蛋白质，含量高达35%~40%，其中大豆蛋白是最好的植物性优质蛋白质，不仅如此，大豆还含有丰富的钙、磷、铁及B族维生素。由于大豆及其制品有如此多的优点，故此赢得了“植物肉”的美称。

yí gè rén
一个人

zuǒ bian yí gè rén, tiāo le yí dàn píng
左边一个人，挑了一担瓶。
yòu bian yí gè rén, dān le yì tiāo pén
右边一个人，担了一挑盆。
píng pèng làn le pén, pén zá làn le píng
瓶碰烂了盆，盆砸烂了瓶。
mài píng de ná píng lái péi pén
卖瓶的拿瓶来赔盆，
mài pén de ná pén lái péi píng
卖盆的拿盆来赔瓶。
píng bù néng péi pén
瓶不能赔盆，
pén bù néng péi píng
盆不能赔瓶。

饮料瓶

fèi qì de yǐn liào píng kě yǐ chéng wéi jū shì de diǎn zhuì pǐn
废弃的饮料瓶可以成为居室的点缀品。
yǒu de yǐn liào píng de guǎng gào hěn yǒu chuàng yì, rú guǒ yòng bù gān jiāo zhuāng shì yí xià píng kǒu, zài zài yǐn liào píng li chā shàng yì xiē shì hé shuǐ zhōng shēng zhǎng de lǜ sè zhí wù, suí yì de zhì yú chuāng tái, yǐn liào píng yí xià zi huì ràng jū shì shēng dòng xǔ duō
有的饮料瓶的广告很有创意，如果用不干胶装饰一下瓶口，再在饮料瓶里插上一些适合水中生长的绿色植物，随意地置于窗台，饮料瓶一下子会让居室生动许多。

guò qiáo
过桥

qiáo nán zǒu lái yì tiáo gǒu
桥南走来一条狗，
qiáo běi zǒu lái yì zhī hóu
桥北走来一只猴。
zǒu dào zhōng jiān pèng le tóu
走到中间碰了头，
bǐ cǐ jí máng diào zhuǎn tóu
彼此急忙调转头。
gǒu huí tóu wàng wang hóu
狗回头望望猴，
hóu huí tóu wàng wang gǒu
猴回头望望狗。
jiū jìng shì gǒu pà hóu
究竟是狗怕猴，
hái shì hóu pà gǒu
还是猴怕狗。

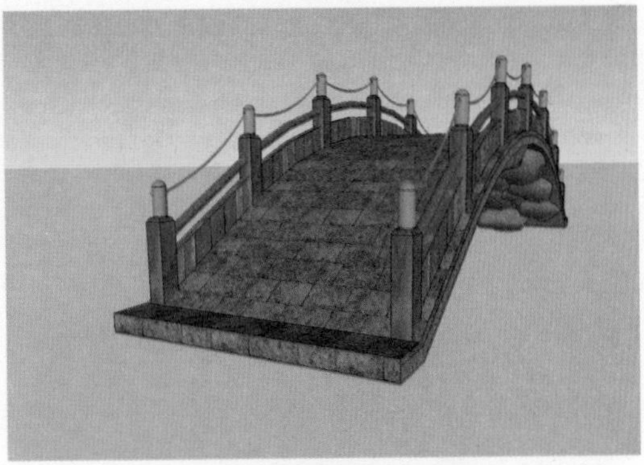

狗

gǒu bí zi jīng cháng bǎo chí shī rùn yǐ zēng qiáng xī shōu qì wèi de néng lì néng gòu xiù chū shēn mái zài dì xià de dōng xi ěr duo kě yǐ zhuàn dòng fāng xiàng yǐ shōu jí gè fāng shēng yīn hái néng tīng dào rén bù néng tīng dào de gāo pín lǜ shēng bō yǒu xiào jù lí shì rén ěr de shí bèi zhī yuǎn
狗鼻子经常保持湿润，以增强吸收气味的能力，能够嗅出深埋在地下的东西，耳朵可以转动方向，以收集各方声音，还能听到人不能听到的高频率声波，有效距离是人耳的十倍之远。

guàng guǒ shì
逛果市

shí gè hái zi shàng guǒ shì， tí zhe shí zhī xiǎo lán zi
十个孩子上果市，提着十只小篮子。
huā le yìng bì sì máo sì， mǎi le sì gè xiǎo shì zi
花了硬币四毛四，买了四个小柿子。
shí gè hái zi chū guǒ shì， shí le shí sì xiǎo shí zǐ
十个孩子出果市，拾了十四小石子。
huí dào jiā li chī shì zi， chī wán shì zi wán shí zǐ
回到家里吃柿子，吃完柿子玩石子。

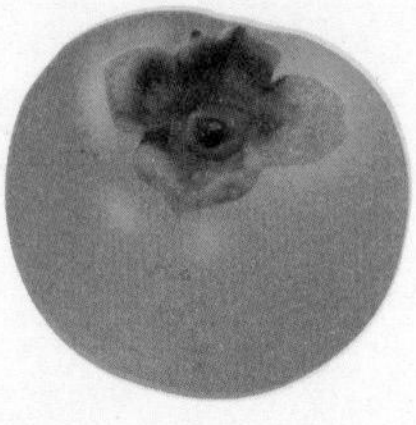

柿子

shì zi bù néng yǔ hán gāo dàn bái de xiè、yú、xiā děng shí pǐn yì qǐ chī。zhōng yī rèn wéi，páng xiè yǔ shì zi dōu shǔ hán xìng shí wù，gù ér bù néng tóng shí。cóng xiàn dài yī xué de jiǎo dù lái kàn，hán gāo dàn bái de xiè、yú、xiā zài shì zi zhōng róu suān de zuò yòng xià，róng yì níng gù chéng kuài，jí wèi shì shí。
柿子不能与含高蛋白的蟹、鱼、虾等食品一起吃。中医认为，螃蟹与柿子都属寒性食物，故而不能同食。从现代医学的角度来看，含高蛋白的蟹、鱼、虾在柿子中鞣酸的作用下，容易凝固成块，即胃柿石。

chán yā tou
馋丫头

yā tou gē bo kuà bā dǒu　lǐ bian yǒu gēn yáng gǔ tou
丫头胳膊挎笆斗，里边有根羊骨头。
yā tou shēn shǒu ná gǔ tou　sòng zài kǒu li kěn gǔ tou
丫头伸手拿骨头，送在口里啃骨头。
dì xià yǒu kuài pò zhuān tou　yā tou zhǐ gù kěn gǔ tou
地下有块破砖头。丫头只顾啃骨头，
zhuān tou bàn dǎo chán yā tou　yā tou diào le yáng gǔ tou
砖头绊倒馋丫头，丫头掉了羊骨头。

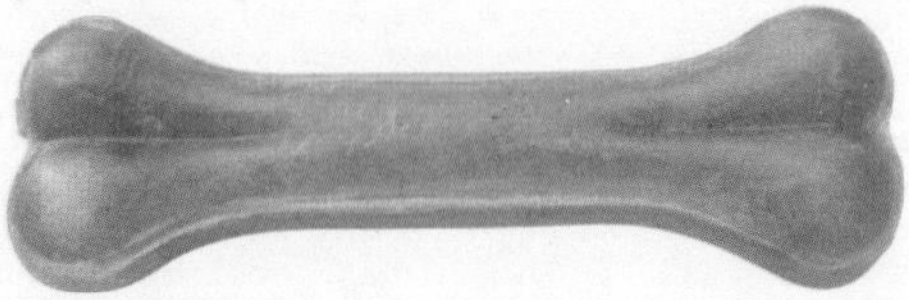

骨折

xiàn dài yī xué zhèng míng　gǔ zhé bìng rén duō chī ròu gǔ
现代医学证明，骨折病人多吃肉骨
tou　bú dàn bù néng cù jìn zǎo qī yù hé　fǎn ér huì shǐ
头，不但不能促进早期愈合，反而会使
duàn gǔ yù hé tuī chí　gǔ tou de chéng fèn zhǔ yào shì lín hé
断骨愈合推迟。骨头的成分主要是磷和
gài　gǔ zhé hòu rú guǒ shè rù dà liàng lín hé gài　jiù huì
钙。骨折后如果摄入大量磷和钙，就会
shǐ gǔ zhì nèi wú jī zhì chéng fèn zēng gāo　zào
使骨质内无机质成分增高，造
chéng gǔ zhì nèi yǒu jī zhì yǔ wú jī zhì bǐ lì
成骨质内有机质与无机质比例
shī tiáo　zǔ ài gǔ zhé de zǎo qī yù hé
失调，阻碍骨折的早期愈合。

mǎi fàn

买饭

xiǎo ān hé xiǎo fán
小安和小樊，
qīng zǎo qù mǎi fàn
清早去买饭。
rú guǒ xiǎo ān bǎ yì jīn fàn gěi xiǎo fán
如果小安把一斤饭给小樊，
xiǎo fán jiù yǒu bǐ xiǎo ān duō yí bèi de fàn
小樊就有比小安多一倍的饭；
rú guǒ xiǎo fán bǎ yì jīn fàn gěi xiǎo ān
如果小樊把一斤饭给小安，
xiǎo fán jiù yǒu tóng yàng duō de fàn
小樊就有同样多的饭。

粗粮

cū liáng de gài niàn hěn guǎng fàn tā shì xiāng duì
“粗粮”的概念很广泛，它是相对
yú dà mǐ bái miàn děng xì liáng ér yán de liáng shi zhǔ
于大米白面等“细粮”而言的粮食，主
yào bāo kuò yù mǐ gāo liang xiǎo mǐ jí gè zhǒng dòu lèi
要包括玉米、高粱、小米及各种豆类
děng zài nèi de liáng chǎn pǐn jù yíng yǎng zhuān jiā jiè shào
等在内的粮产品。据营养专家介绍，
xiàn dài rén chī duō le dà yú dà ròu rú guǒ
现代人吃多了大鱼大肉，如果
gǎi chī cū liáng bú dàn néng qīng cháng wèi hái
改吃粗粮，不但能清肠胃，还
néng pái dú
能排毒。

rì tou shí tou shé tou sāi tou
日头、石头、舌头、塞头

tiān shàng yǒu rì tou
天上有日头，
dì shang yǒu shí tou
地上有石头；
zuǐ li yǒu shé tou
嘴里有舌头，
píng kǒu yǒu sāi tou
瓶口有塞头。

tiān shàng de shì rì tou bú shì shí tou
天上的是日头不是石头，
dì shang de shì shí tou bú shì rì tou
地上的是石头不是日头；
zuǐ li de shì shé tou bú shì sāi tou
嘴里的是舌头不是塞头，
píng zhōng de shì sāi tou bú shì shé tou
瓶中的是塞头不是舌头。

刷舌头

shuā shé tou yǒu yì jiàn kāng yīn wèi shé tāi biǎo miàn yóu qí shì jiào hòu de shé tāi li cháng huì hán yǒu xǔ duō duì jiàn kāng yǒu hài de wù zhì rú zhì bìng jūn zǔ zhī àn méi jūn jí bìng dú děng shì kǒu qiāng yì wèi kǒu chòu de zhòng yào yuán yīn zhī yī yě shì yǐn qǐ kǒu qiāng huò yá zhōu yán de zhí jiē yuán yīn

刷舌头有益健康。因为舌苔表面，尤其是较厚的舌苔里常会含有许多对健康有害的物质，如致病菌、组织胺、霉菌及病毒等，是口腔异味、口臭的重要原因之一，也是引起口腔或牙周炎的直接原因。

hú zi hé tuó zi
胡子和驼子

dōng bian lái le gè qí lǘ zi de hú zi
东边来了个骑驴子的胡子，
xī bian lái le gè tiāo luó sī de tuó zi
西边来了个挑螺蛳的驼子。
qí lǘ zi de hú zi zhuàng fān le tuó zi de luó sī
骑驴子的胡子撞翻了驼子的螺蛳，
tiāo luó sī de tuó zi tuō zhù le hú zi de lǘ zi
挑螺蛳的驼子拖住了胡子的驴子。
qí lǘ zi de hú zi qù dǎ tiāo luó sī de tuó zi
骑驴子的胡子去打挑螺蛳的驼子，
tiāo luó sī de tuó zi lái dǎ qí lǘ zi de hú zi
挑螺蛳的驼子来打骑驴子的胡子。
qí lǘ zi de hú zi dǎ le tiāo luó sī de tuó zi
骑驴子的胡子打了挑螺蛳的驼子，
tiāo luó sī de tuó zi dǎ le qí lǘ zi de hú zi
挑螺蛳的驼子打了骑驴子的胡子。

驴

lǘ de wài xíng xiàng mǎ dàn jiào ǎi xiǎo ěr duo jiào
驴的外形像马，但较矮小，耳朵较
cháng bèi bù yǒu yì tiáo hēi xiàn zhí dá wěi bù máo jiào bù
长，背部有一条黑线直达尾部，毛较不
guāng huá dà dōu wéi shēn huī sè lǘ zuì dà de yòng tú
光滑，大都为深灰色。驴最大的用途
shì lā mò yīn wèi niú lā mò bú kuài mǎ lā jiǔ le huì
是拉磨，因为牛拉磨不快，马拉久了会
yūn dǎo zhǐ yǒu lǘ lā de yòu kuài yòu bù yūn
晕倒，只有驴拉得又快又不晕，
suǒ yǐ lā mò de gōng zuò zhǐ yǒu kào lǘ lái zuò
所以拉磨的工作只有靠驴来做。

shǔ shù
数数

shān li yì zhī hǔ
山里一只虎，

lín li yì zhī lù
林里一只鹿，

juàn li yì tóu zhū
圈里一头猪，

cǎo li yì zhī tù
草里一只兔，

cāng li yì zhī shǔ
仓里一只鼠。

kuài lái kuài lái shǔ yì shǔ
快来快来数一数，

yī èr sān sì wǔ
一二三四五，

hǔ lù zhū tù shǔ
虎鹿猪兔鼠。

鹿

lù zuì dà de tè zhēng shì lù jiǎo dà duō shù zhǐ yǒu
鹿最大的特征是鹿角，大多数只有
xióng lù yǒu jiǎo cí lù méi yǒu jiǎo dà dōu yǒu qī bā
雄鹿有角，雌鹿没有。角大都有七、八
gè fēn zhī xiàng shù zhī yí yàng de dǐng zài tóu shang zuǒ yòu
个分支，像树枝一样地顶在头上，左右
gè yī kě yǐ zuò dǎ dòu de wǔ qì huò yòng
各一，可以做打斗的武器或用
lái zhuī qiú cí lù
来追求雌鹿。

bǔ bù kù
补布裤

ná lái yí kuài cū tǔ bù, yào féng yì tiáo cū bù kù。
拿来一块粗土布，要缝一条粗布裤。
gē ge wū li bǔ bù kù, fēi zhēn zǒu xiàn zì jǐ bǔ。
哥哥屋里补布裤，飞针走线自己补。
cū bù kù shang bǔ cū bù, cū tǔ bù bǔ cū bù kù。
粗布裤上补粗布，粗土布补粗布裤。
gē ge chuān shàng cū bù kù, jiān kǔ pǔ sù láo jì zhù。
哥哥穿上粗布裤，艰苦朴素牢记住。

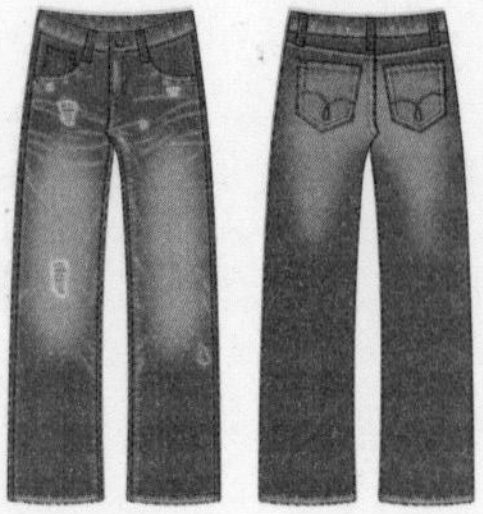

牛仔裤

niú zǎi kù shì chūn qiū dōng jì de fú zhuāng chuān shàng hòu xiǎn de rén yīng jùn qīng kuài huó pō néng tǐ xiàn rén de xiàn tiáo měi gěi rén yǐ qīng chūn huó lì zhī gǎn niú zǎi kù wù měi jià lián shēn shòu xiāo fèi zhě xǐ ài dàn měi gè rén de tǐ xíng shì yǒu chā bié de suǒ yǐ yào gēn jù zì jǐ de jù tǐ qíng kuàng xuǎn gòu

牛仔裤是春、秋、冬季的服装。穿上后显得人英俊、轻快活泼，能体现人的线条美，给人以青春活力之感。牛仔裤物美价廉，深受消费者喜爱，但每个人的体形是有差别的，所以要根据自己的具体情况选购。

féi zhū féi tù
肥猪、肥兔

xiǎo lǔ yào wèi zhū lǎo sū yào yǎng tù
小鲁要喂猪，老苏要养兔。

lǎo sū huì wèi zhū xiǎo lǔ huì yǎng tù
老苏会喂猪，小鲁会养兔。

lǎo sū jiāo xiǎo lǔ wèi zhū xiǎo lǔ jiāo lǎo sū yǎng tù
老苏教小鲁喂猪，小鲁教老苏养兔。

tù rú zhū féi mǎn yuàn féi zhū féi tù guān bú zhù
兔如猪肥，满院肥猪、肥兔关不住。

猪

zhū wéi zá shí xìng dòng wù yì bān nóng jiā duō yòng shèng fàn shèng cài yǎng zhū yǐ nóng zuò wù yù mǐ gāo liang dà mài hēi mài děng zài jiā huā shēng dòu bǐng yú fěn děng wéi sì liào ér shēng huó zài cǎo yuán huò shān lín zhōng de yě zhū xǐ huan chī guǒ shí gǔ lèi shù yá cài yè děng yě chī kūn chóng xiǎo dòng wù

猪为杂食性动物，一般农家多用剩饭、剩菜养猪，以农作物玉米、高粱、大麦、黑麦等，再加花生、豆饼、鱼粉等为饲料。而生活在草原或山林中的野猪，喜欢吃果实、谷类、树芽、菜叶等，也吃昆虫、小动物。

dà é hé xiǎo é
大鹅和小鹅

dà é hé xiǎo é
大鹅和小鹅，
yì tóng guò le hé
一同过了河。
dà é qù shí cǎo
大鹅去拾草，
xiǎo é lái dā wō
小鹅来搭窝。
dōng tiān běi fēng guā
冬天北风刮，
wō li zhēn nuǎn huo
窝里真暖和。
zhù zài cǎo wō li
住在草窝里，
ō ō bǎ gē chàng
喔喔把歌唱。

鹅

é de zǔ xiān shì yàn jīng guò cháng qī sì yǎng suī
鹅的祖先是雁，经过长期饲养，虽
rán yǐ jīng shī qù le fēi xiáng de néng lì què bǎo liú zhe zǔ
然已经失去了飞翔的能力，却保留着祖
xiān de yì xiē tè xìng yù dào qīn xí qún
先的一些特性：遇到侵袭，群
qǐ ér gōng zhè zài qí tā jiā qín zhōng shì shǎo
起而攻。这在其它家禽中是少
jiàn de
见的。

běi jīng hé tiān jīn
北京和天津

běi jīng hé tiān jīn, jīng jīn liǎng gè yīn
北京和天津，京津两个音。

yī shì qián bí yīn, yī shì hòu bí yīn
一是前鼻音，一是后鼻音。

rú guǒ fēn bù qīng, qǐng nǐ zǐ xì tīng
如果分不清，请你仔细听。

北京

běi jīng shì yí zuò gǔ lǎo de dū chéng, yǒu zhe jǐ shí wàn nián de rén lèi jìn huà shǐ、sān qiān nián de jiàn chéng shǐ hé bā bǎi nián de guó dū shǐ。shēn hòu de lì shǐ jī diàn hé fēng fù de gǔ jì rén wén zào jiù le tā wén huà gǔ dū de shēng yù, chéng wéi liǎo jiě dōng fāng gǔ lǎo wén míng de shǒuxuǎn zhī dì。

北京是一座古老的都城，有着几十万年的人类进化史、三千年的建城史和八百年的国都史。深厚的历史积淀和丰富的古迹人文造就了它文化古都的声誉，成为了解东方古老文明的首选之地。

shù shang diāo hé dì shang māo

树上雕和地上猫

shù shang yǒu zhī diāo，dì shang yǒu zhī māo。
树上有只雕，地上有只猫。

dì shang de māo xiǎng diāo zǒu shù shang de diāo，
地上的猫想叼走树上的雕，

shù shang de diāo lái zhuó dì shang māo de máo。
树上的雕来啄地上猫的毛。

shù shang diāo xià zǒu le dì shang māo，
树上雕吓走了地上猫，

dì shang māo gǎn fēi le shù shang diāo。
地上猫赶飞了树上雕。

猫

māo zhòng shì zì shēn de wèi shēng，jù yǒu zì jìng pí máo de xí xìng，jīng cháng yòng shé tou tiǎn cā tǐ qū、sì zhī děng bù wèi de pí máo，qīng chú máo shang de wū wù，bǎo chí máo de qīng jié guāng liàng。mǔ māo hái bāng xiǎo māo tiǎn máo zhuō shī，xiǎn chū kě guì de “mǔ ài”。

猫重视自身的卫生，具有自净皮毛的习性，经常用舌头舔擦体躯、四肢等部位的皮毛，清除毛上的污物，保持毛的清洁光亮。母猫还帮小猫舔毛捉虱，显出可贵的“母爱”。

pí pi hé dì di
皮皮和弟弟

pí pi jiā lái le gè xiǎo dì di
皮皮家来了个小弟弟，
xiǎo dì di xiǎng hé pí pi zuò yóu xì
小弟弟想和皮皮做游戏，
pí pi xiǎng hé xiǎo dì di wán wán jù
皮皮想和小弟弟玩玩具。
pí pi hé dì di ná bú dìng zhǔ yi
皮皮和弟弟拿不定主意，
shì zuò yóu xì hái shì wán wán jù
是做游戏还是玩玩具。

游戏

yóu xì shì ér tóng yǔ huán jìng jiāo hù zuò yòng de xíng shì ér tóng tōng cháng jiāng yì xiē gāng gāng jīng lì guò kàn dào guò de xīn xiān shì wù fǎn yìng zài yóu xì zhōng ér tóng yě cháng cháng bǎ yì xiē yǐ jīng shú xi de gè zhǒng shì wù zōng hé qǐ lái àn zì jǐ de yì yuàn jìn xíng gǎi zào chuàng zào xìng de fǎn yìng dào yóu xì zhōng

游戏是儿童与环境交互作用的形式。儿童通常将一些刚刚经历过、看到过的新鲜事物反映在游戏中；儿童也常常把一些已经熟悉的各种事物综合起来，按自己的意愿进行改造，创造性地反映到游戏中。

cáng māo mao
藏猫猫

bái māo hé hēi māo liǎng māo cáng māo mao
白猫和黑猫，两猫藏猫猫。
bái māo dài hēi mào hēi māo dài bái mào
白猫戴黑帽，黑猫戴白帽。
bái māo duǒ hēi māo hēi māo zhuō bái māo
白猫躲黑猫，黑猫捉白猫，
hēi māo kàn jiàn hēi mào zhuā zhù le hēi mào
黑猫看见黑帽，抓住了黑帽，
què pǎo le bái māo hēi māo bái māo miāo miāo miāo
却跑了白猫，黑猫白猫“喵喵喵”。

猫

māo zuì xǐ huan rén yòng shǒu qīng qīng náo tā de xià hé
猫最喜欢人用手轻轻挠它的下颌，
bú lùn zěn yàng shēng shū huò bú xùn liáng de māo yì náo tā de
不论怎样生疏或不驯良的猫，一挠它的
xià hé tā jiù huì fǔ shǒu xùn fú dàn shì māo hěn hài
下颌，它就会俯首驯服。但是，猫很害
pà náo tā de wěi gēn rú guǒ náo wěi gēn tā
怕挠它的尾根，如果挠尾根，它
huì lì jí táo zǒu huò zhě huì yòng zhuǎ zi fǎn
会立即逃走，或者会用爪子反
pū nǐ
扑你。

huī māo zhuā huā niǎo

灰猫抓花鸟

huī māo dì shang tiào, huā niǎo shù shang jiào

灰猫地上跳，花鸟树上叫。

huī māo tīng huā niǎo jiào, huā niǎo qiáo huī māo tiào,

灰猫听花鸟叫，花鸟瞧灰猫跳，

huī māo pá shù zhuā huā niǎo, huā niǎo zhǎn chì jiù táo diào

灰猫爬树抓花鸟，花鸟展翅就逃掉。

猫

māo shì bú huì zì dòng dào shuǐ li yóu yǒng de, dàn ruò bǎ tā pāo jìn shuǐ li, zì jiù de běn néng shǐ tā néng cóng shuǐ li "pū tōng"、"pū tōng" de yóu dào àn shang lái. qí yóu yǒng zī shì yě shí fēn yǒu qù, cǎi yòng de yǒng shì shǔ yú "gǒu zǎi shì".

猫是不会自动到水里游泳的，但若把它抛进水里，自救的本能使它能从水里“扑通”、“扑通”地游到岸上来。其游泳姿势也十分有趣，采用的泳式属于“狗仔式”。

shì dēng hái shì xīng
是灯还是星

tiān shàng sǎ mǎn mǎn tiān xīng dì shang bù mǎn mǎn shān dēng
天上洒满满天星，地上布满满山灯，
mǎn tiān xīng liàng mǎn tiān tíng mǎn shān dēng jiē mǎn tiān xīng
满天星亮满天庭，满山灯接满天星，
xīng yìng dēng dēng yìng xīng fēn bù qīng shì dēng hái shì xīng
星映灯，灯映星，分不清是灯还是星。

看图学英语
lamp 灯

灯

mù qián dēng shì shì chǎng yǐ tuī chū le téng biān de shuǐ hú chá jī dēng ràng dēng yǔ jiā jù róng wéi yì tǐ bù shī wéi yì zhǒng quán xīn de shè jì sī lù xiàng shuǐ cǎo yǔ má biān zhī de niǎo cháo dēng yǔ zhēn de niǎo cháo xíng shén jù xiào qí cū cāo yǔ yuán shǐ ràng hěn duō rén qīng lài yǒu jiā
目前灯饰市场已推出了藤编的水壶、茶几灯，让灯与家具融为一体，不失为一种全新的设计思路。像水草与麻编织的“鸟巢”灯，与真的鸟巢形神俱肖，其粗糙与原始让很多人青睐有加。

niū niu hé niú niu
妞妞和牛牛

niú niu yào chī niū niu zāi de liǔ，niū niu hù liǔ gǎn niú niu。
牛牛要吃妞妞栽的柳，妞妞护柳赶牛牛。

niū niu zhuài niú niu，niú niu dǐng niū niu。
妞妞拽牛牛，牛牛顶妞妞。

niū niu jiǎn qǐ shí tou rēng niú niu，xià de niú niu niǔ tóu liū。
妞妞捡起石头扔牛牛，吓得牛牛扭头溜。

种子

liǔ shù zhǒng zi de shòu mìng jí duǎn，chéng shú hòu zhǐ zài 12 xiǎo shí yǐ nèi yǒu fā yá néng lì。yáng shù zhǒng zi de shòu mìng yì bān bù chāo guò jǐ gè xīng qī。dà duō shù nóng zuò wù zhǒng zi de shòu mìng zài yì bān zhù cáng tiáo jiàn xià yuē wéi 1～3 nián。

柳树种子的寿命极短，成熟后只在12小时以内有发芽能力。杨树种子的寿命一般不超过几个星期。大多数农作物种子的寿命在一般贮藏条件下约为1～3年。

hú tú huà hú lu
胡图画葫芦

hú tú xiǎng yào huà hú lu　jié guǒ huà de hěn hú tu
胡图想要画葫芦，结果画得很糊涂，
hú tu bù néng suàn hú lu　yào xiǎng hú lu bù hú tu
糊涂不能算葫芦，要想葫芦不糊涂，
hú tú jué xīn bù hú tu　zài huà yì zhī dà hú lu
胡图决心不糊涂，再画一只大葫芦。

葫芦

hú lu　shēng nèn shí chēng pú guā　wéi shí yòng guā lèi
葫芦，生嫩时称蒲瓜，为食用瓜类
de yì zhǒng　kě chǎo kě zhǔ　lǎo le shài gān cái jiào hú lu
的一种，可炒可煮。老了晒干才叫葫芦，
kě dāng jiǔ hú　yóu yú　hú　yǔ　fú　zì xié yīn
可当酒壶。由于“葫”与“福”字谐音，
mín jiān cháng yǐ qí xiàng zhēng jí xiáng　bù shǎo wén rén yǎ
民间常以其象征吉祥，不少文人雅
shì xǐ zài hú lu shang tí zì zuò huà yǐ zuò wéi
士喜在葫芦上题字作画以作为
zhuāng shì
装饰。

gēng lí hé yā lí
耕犁和鸭梨

gēng dì yào yòng lí, kǒu kě yào chī lí
耕地要用犁，口渴要吃梨。
lí zi diào zài dì, zhān le yì shēn ní
梨子掉在地，沾了一身泥。
bú yào rēng le lí, zhǐ xū xǐ diào ní
不要扔了梨，只需洗掉泥。

种子

liǔ shù zhǒng zi de shòumìng jí duǎn chéng shú hòu zhǐ zài
柳树种子的寿命极短，成熟后只在
xiǎo shí yǐ nèi yǒu fā yá néng lì yáng shù zhǒng zi de
12小时以内有发芽能力。杨树种子的
shòumìng yì bān bù chāo guò jǐ gè xīng qī dà duō shù nóng zuò
寿命一般不超过几个星期。大多数农作
wù zhǒng zi de shòumìng zài yì bān zhù cáng tiáo jiàn
物种子的寿命在一般贮藏条件
xià yuē wéi nián
下约为1～3年。

jiāng gāng
姜、缸

xiǎo yáng de jiāng zhuàng fān lǎo jiāng de gāng
小杨的姜撞翻老江的缸，
lǎo jiāng de gāng pèng dǎo xiǎo yáng de jiāng
老江的缸碰倒小杨的姜。
xiǎo yáng fàng xià jiāng qù fú lǎo jiāng de gāng
小杨放下姜去扶老江的缸，
lǎo jiāng fàng xià gāng qù zhuāng xiǎo yáng de jiāng
老江放下缸去装小杨的姜。

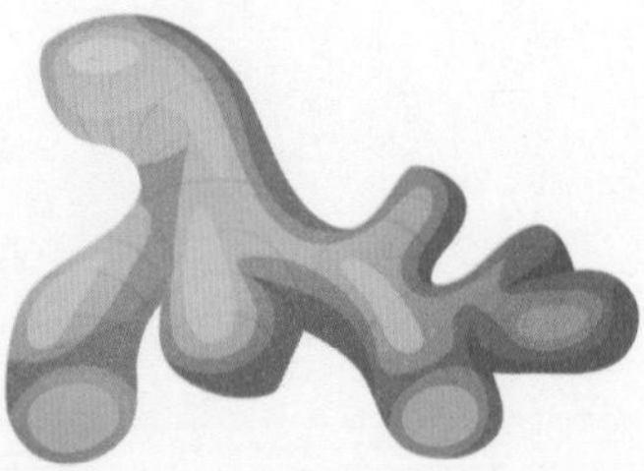

姜

zhōng yī rèn wéi shēng jiāng wèi xīn xìng wēi wēn guī fèi wèi pí jīng jù yǒu sàn hán jiě biǎo wēn wèi zhǐ tù huà tán zhǐ ké děng gōng xiào bèi yù wéi ǒu jiā shèng yào yòng yú fēng hán gǎn mào è hán fā rè tóu tòng bí sè ǒu tù chuǎn ké zhàng mǎn xiè xiè děng

中医认为，生姜味辛，性微温，归肺、胃、脾经，具有散寒解表，温胃止吐、化痰止咳等功效，被誉为“呕家圣药”。用于风寒感冒、恶寒发热、头痛鼻塞、呕吐、喘咳、胀满、泄泻等。

wū yā hé hēi zhū
乌鸦和黑猪

wū yā zhǐ zhe hēi zhū shuō hēi zhū hēi
乌鸦指着黑猪说黑猪黑，
hēi zhū shuō wū yā bǐ hēi zhū hái yào hēi
黑猪说乌鸦比黑猪还要黑。
wū yā shuō zì jǐ shēn hēi zuǐ bù hēi
乌鸦说自己身黑嘴不黑，
hēi zhū tīng bà xiào de hēi hēi hēi
黑猪听罢笑得嘿嘿嘿。

猪

zhū de tǐ xíng féi pàng tóu féi ěr dà wěn bù qián
猪的体型肥胖，头肥耳大。吻部前
duān wéi yuán pán xíng yǒu liǎng gè bí kǒng wěi ba duǎn xiǎo ér
端为圆盘形，有两个鼻孔，尾巴短小而
juǎn qū sì zhī hěn duǎn èr zhǐ wéi xuán tí
卷曲。四肢很短，二趾为悬蹄，
shēn shang de máo yòu cū yòu yìng zhū de shì jué
身上的毛又粗又硬。猪的视觉
bù hǎo dàn xiù jué líng mǐn
不好，但嗅觉灵敏。

hǔ zhuō hǔ
虎捉虎

zhào hǔ zhuō bì hǔ　bĕn shì hǔ zhuō hǔ
赵虎捉壁虎，本是虎捉虎。
zhào hǔ mǎn wū zhuàn　bì hǔ mǎn qiáng pá
赵虎满屋转，壁虎满墙爬。
bì hǔ bù gǎn yǎo zhào hǔ　zhào hǔ yě zhuō bú zhù bì hǔ
壁虎不敢咬赵虎，赵虎也捉不住壁虎。

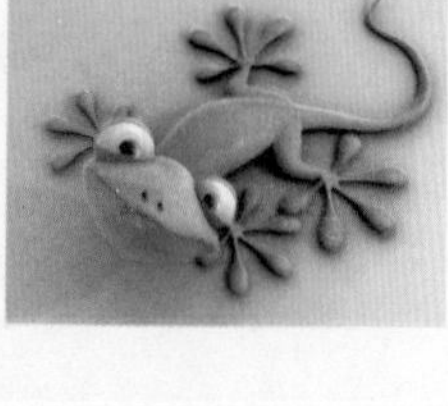

壁虎

bì hǔ zhǐ xià yǒu zhě zhòu　néng zài qiáng bì shang pá xíng　rén lèi gēn jù zhè zhǒng yuán lǐ　yán zhì chū yǒu lèi sì gòu zào de dēng shān xié　zá jì xié　tè zhǒng jūn yòng xié jí néng zài qiáng shang yí dòng de guà wù zhuāng zhì děng
壁虎趾下有褶皱，能在墙壁上爬行，人类根据这种原理，研制出有类似构造的登山鞋、杂技鞋、特种军用鞋及能在墙上移动的挂物装置等。

niū niu kàn dòu dou
妞妞看豆豆

niū niu wéi gè hóng dōu dou
妞妞围个红兜兜，
gōu biān dì li kàn dòu dou
沟边地里看豆豆。
hū tīng gōu qián hǎn zhuā niú
忽听沟前喊抓牛，
niū niu pà niú cǎi dòu dou
妞妞怕牛踩豆豆，
zhuā zhù niú niu bù sōng shǒu
抓住牛牛不松手。

豆制品

gēn jù zuì jìn de yán jiū dòu zhì pǐn shí zhī guò duō
根据最近的研究，豆制品食之过多，
yě shì yǒu hài de yīn wèi dòu zhì pǐn zhōng hán yǒu jiào duō
也是有害的。因为，豆制品中含有较多
de dàn ān suān ruò shí zhī guò duō yǔ ròu shí yí yàng
的蛋氨酸，若食之过多，与肉食一样，
tóng yàng huì dǎo zhì dòng mài zhōu yàng yìng huà yīn
同样会导致动脉粥样硬化。因
cǐ dòu zhì pǐn yě bù yí shí yòng guò duō
此，豆制品也不宜食用过多。

wǒ yǒu yì tiáo gǒu
我有一条狗

wǒ yǒu yì tiáo gǒu
我有一条狗，
gǒu wěi tuō gè dǒu
狗尾拖个斗，
zǒu qǐ lù lái zhí fā dǒu
走起路来直发抖。
bù zhī shì gǒu tuō dǒu
不知是狗拖斗，
hái shì dǒu tuō gǒu
还是斗拖狗。

狗

gǒu de pǐn zhǒng hěn duō wài xíng chā bié hěn dà gòng
狗的品种很多，外形差别很大。共
tóng tè zhēng shì kǒu wěn tū chū yá chǐ fēi cháng ruì lì
同特征是：口吻突出，牙齿非常锐利，
shé tou yòu cháng yòu báo zhǐ zhuǎ wài lù shàn yú bēn pǎo
舌头又长又薄，趾爪外露，善于奔跑，
yòu huì yóu yǒng shēng xìng hài pà gū dān róng
又会游泳，生性害怕孤单，容
yì yǔ rén lèi xiāng chǔ gǒu de xiù jué hé tīng
易与人类相处。狗的嗅觉和听
jué dōu xiāngdāng mǐn ruì
觉都相当敏锐。

sì wèi lǎo bó bo
四位老伯伯

guō lǎo bó luó lǎo bó guó lǎo bó luò lǎo bó
郭老伯、罗老伯，国老伯、骆老伯，
guō luó guó luò sì lǎo bó xiāng yuē chéng li qù mǎi luó
郭罗国骆四老伯，相约城里去买锣，
mǎi de luó lái jiē shang qiāo qiāo pò luó lái zá huài jiǎo
买得锣来街上敲，敲破锣来砸坏脚。

锣

luó yòu chēng zhōng guó luó lái zì zhōng guó de mín
锣又称“中国锣”，来自中国的民
zú yuè duì shì jiāo xiǎng yuè duì zhōng wéi yī de zhōng guó yuè
族乐队，是交响乐队中唯一的中国乐
qì luó shì xiàn dài jiāo xiǎng yuè duì guǎn xián yuè duì zhōng
器。锣是现代交响乐队、管弦乐队中
zhòng yào de dǎ jī yuè qì gǎi biàn luò chuí chuí tou de jié gòu
重要的打击乐器，改变落棰棰头的结构
huò zhì dì kě yǒu xiào de gǎi biàn luó shēn de yīn
或质地可有效地改变锣身的音
sè lìng wài yì xiē jiào xiǎo de luó yǒu què
色。另外，一些较小的锣有确
dìng de gāo yīn
定的高音。

pén hé píng
盆和瓶

zhuō shang yí gè pén, pén li yí gè píng,
桌上一个盆，盆里一个瓶，
pēng pēng pā pā, pā pā pēng pēng,
砰砰啪啪，啪啪砰砰，
bù zhī shì píng pèng pén, hái shì pén pèng píng
不知是瓶碰盆，还是盆碰瓶。

吃

chī zài shēng huó zhōng shì bù kě quē shǎo de yí bù fen
吃，在生活中是不可缺少的一部分，
zài máng lù de gōng zuò zhī yú, zuò yí dùn kě kǒu de fàn cài,
在忙碌的工作之余，做一顿可口的饭菜，
jìn qíng xiǎng shòu jiā tíng de wēn nuǎn. bié xiǎo kàn le
尽情享受家庭的温暖。别小看了
guō wǎn piáo pén, yí rì sān cān kě dōu lí bù kāi tā men.
“锅碗瓢盆”，一日三餐可都离不开它们。
pēng tiáo shí wù shí, guō wǎn piáo pén jiù kāi shǐ fā huī zuò yòng le.
烹调食物时，锅碗瓢盆就开始发挥作用了。

kuí huā bì má
葵花、蓖麻

pàng wá xiǎo shǒu ná xiǎo kuāng lái dào dì li shōu kuí huā
胖娃小手拿小筐，来到地里收葵花；
xiǎo huá xiǎo shǒu ná xiǎo lán tóng qù dì li shōu bì má
小华小手拿小篮，同去地里收蓖麻。
pàng wá de kuí huā huā pán dà xiǎo huá de bì má mì má má
胖娃的葵花花盘大，小华的蓖麻密麻麻。
xiǎo huá bāng pàng wá zhāi kuí huā pàng wá bāng xiǎo huá shōu bì má
小华帮胖娃摘葵花，胖娃帮小华收蓖麻。
xiǎo huá hé pàng wá
小华和胖娃，
shōu le kuí huā hé bì má
收了葵花和蓖麻，
yì tóng dōu lái zhì shí yóu
一同都来制食油，
xiàn guó jiā
献国家。

葵花子

kuí huā zǐ zài chǎo zhì shí xū yào yì xiē xiāng liào tā men duì wèi dōu yǒu yí dìng de cì jī zuò yòng yóu qí shì guì pí zhōng hán yǒu de yì zhǒng jiào huáng zhāng sù de wù zhì yǒu zhì ái zuò yòng lǎo nián rén gān zàng jiě dú gōng néng xià jiàng chī de tài duō gān zàng fù dān jiā zhòng yǒu kě néng yòu fā gān yán

葵花子在炒制时，需要一些香料，它们对胃都有一定的刺激作用，尤其是桂皮中含有的一种叫黄樟素的物质有致癌作用。老年人肝脏解毒功能下降，吃得太多，肝脏负担加重，有可能诱发肝炎。

zhòng dōng guā
种冬瓜

tóng jiā mén dōng shì dǒng jiā
童家门东是董家，
liǎng jiā yì tóng zhòng dōng guā
两家一同种冬瓜。
mén dōng dǒng jiā dōng guā dà
门东董家冬瓜大，
dōng mén tóng jiā xué zhòng guā
东门童家学种瓜。
mén dōng dǒng jiā dǒng zhòng guā
门东董家懂种瓜，
lái jiāo tóng jiā zhòng dōng guā
来教童家种冬瓜。
tóng dǒng liǎng jiā qí zhòng guā
童董两家齐种瓜，
dōng guā yào bǐ shuǐ tǒng dà
冬瓜要比水桶大。

冬瓜

dōng guā yíng yǎng fēng fù hán dà liàng táng lèi duō
冬瓜营养丰富，含大量糖类、多
zhǒng wéi shēng sù hé kuàng wù zhì dōng guā pí néng zhì shuǐ zhǒng
种维生素和矿物质。冬瓜皮能治水肿；
dōng guā néng qū tán zhì jí màn xìng qì guǎn yán hái néng
冬瓜能祛痰，治急、慢性气管炎，还能
lì niào xiāo zhǒng shǔ rè gǎn mào fú shí dōng
利尿消肿。暑热感冒，服食冬
guā duì jiě rè yǒu fǔ zhù zhì liáo zuò yòng
瓜，对解热有辅助治疗作用。

qī kē xīng
七颗星

tiān shàng qī kē xīng dì shang qī kuài bīng
天上七颗星，地上七块冰，
zhuō shang qī gè píng shù shang qī zhī yīng
桌上七个瓶，树上七只鹰，
mù shang qī méi dīng
木上七枚钉。
hū chī hū chī bá diào qī méi dīng
呼哧呼哧拔掉七枚钉，
hū lā hū lā gǎn zǒu qī zhī yīng
呼啦呼啦赶走七只鹰，
pīng pāng pīng pāng pèng dǎo qī gè píng
乒乓乒乓碰倒七个瓶。
yí zhèn fēng chuī huà qī kuài bīng
一阵风吹化七块冰，
yí piàn yún zhē zhù qī kē xīng
一片云遮住七颗星。

鹰

yīng de lèi bié hěn duō sǔn · yīng jiù diāo děng
鹰的类别很多，隼、鹰、鹫、雕等
děng dōu shǔ yú yīng lèi zài měi gè lèi bié li yòu bāo kuò
等，都属于鹰类，在每个类别里又包括
hěn duō zhǒng jiù ná diāo lái shuō zài wǒ guó yǒu qī zhǒng
很多种。就拿雕来说，在我国有七种，
qí zhōng yǒu yì zhǒng jiào cǎo yuán diāo de
其中有一种叫“草原雕”的，
shì wéi yī qī xī zài nèi měng zhōng bù kāi kuò cǎo
是唯一栖息在内蒙中部开阔草
yuán dì dài de yīng lèi
原地带的鹰类。

yáng hé láng
羊和狼

zhè biān lái le yì zhī yáng nà biān lái le yì pǐ láng
这边来了一只羊，那边来了一匹狼。

yì qǐ zǒu dào xiǎo qiáo shang xiǎo qiáo zhōng jiān bǎ tóu pèng
一起走到小桥上，小桥中间把头碰。

xiǎo shān yáng jiào dà huī láng ràng xiǎo shān yáng
小山羊叫大灰狼让小山羊，

dà huī láng jiào xiǎo shān yáng ràng dà huī láng
大灰狼叫小山羊让大灰狼。

xiǎo shān yáng bú ràng dà huī láng
小山羊不让大灰狼，

dà huī láng bú ràng xiǎo shān yáng
大灰狼不让小山羊。

dà huī láng hé xiǎo shān yáng
大灰狼和小山羊，

yì qǐ diào dào hé zhōng yāng
一起掉到河中央。

狼

láng dà dōu guò qún jū shēng huó láng qún zhōng yǒu yì zhī lǐng xiù qí tā chéng yuán yǒu jiē jí zhī fēn dì wèi gāo de kě yǐ zhī pèi dì wèi dī de měi qún láng yǒu gù dìng de shì lì fàn wéi yòng niào yè lái huà dìng jiè xiàn bù zhǔn qí tā láng qún qīn rù láng qún zài yí gè dì fang dāi shàng yí duàn shí jiān hòu jiù huì huàn gè dì fang

狼大都过群居生活，狼群中有一只领袖，其他成员有阶级之分，地位高的可以支配地位低的。每群狼有固定的势力范围，用尿液来划定界限，不准其他狼群侵入。狼群在一个地方待上一段时间后，就会换个地方。

jiǎng jiā yáng hé yáng jiā qiáng
蒋家羊和杨家墙

jiǎng jiā yǎng le yì zhī yáng
蒋家养了一只羊，
yáng jiā qì le yí dào qiáng
杨家砌了一道墙。
jiǎng jiā yáng zhuàng huài yáng jiā qiáng
蒋家羊撞坏杨家墙，
yáng jiā qiáng zá sǐ jiǎng jiā yáng
杨家墙砸死蒋家羊。
jiǎng jiā yào yáng jiā péi yáng
蒋家要杨家赔羊，
yáng jiā yào jiǎng jiā péi qiáng
杨家要蒋家赔墙。

羊肉

yáng ròu shì yì zhǒng liáng hǎo de zī bǔ qiáng zhuàng pǐn
羊肉是一种良好的滋补强壮品，
chī yáng ròu néng zēng qiáng xiāo huà gōng néng bǎo hù wèi bì
吃羊肉能增强消化功能，保护胃壁，
bìng jù yǒu kàng shuāi lǎo zuò yòng dōng jì shí yòng yáng ròu zhōu
并具有抗衰老作用，冬季食用羊肉粥
yóu wéi hé shì dàn yīn wèi yáng ròu yǒu xīng shān wèi zhì shǐ
尤为合适。但因为羊肉有腥膻味，致使
hěn duō rén bù xǐ huan chī rú guǒ pēng rèn fāng
很多人不喜欢吃。如果烹饪方
fǎ dé dàng shǐ yòng de tiáo liào hé shì jiù
法得当，使用的调料合适，就
huì qù diào shān wèi
会去掉膻味。

xiǎo huā māo
小花猫

xiǎo máo bào zhe xiǎo huā māo
小毛抱着小花猫，
huā māo yòng zhuǎ zhuā xiǎo máo
花猫用爪抓小毛。
xiǎo máo yòng shǒu pāi huā māo
小毛用手拍花猫，
huā māo zhuā pò xiǎo máo shǒu
花猫抓破小毛手。
xiǎo máo kū huā māo jiào
小毛哭，花猫叫，
xiǎo máo sōng kāi xiǎo huā māo
小毛松开小花猫，
huā māo pǎo lí le xiǎo máo
花猫跑离了小毛。

猫

māo zuǐ biān de chù xū yǒu mǐn ruì de chù jué zuò yòng
猫嘴边的触须有敏锐的触觉作用，
zài hēi àn zhōng yǒu zhù yú tàn suǒ zhōu wéi de huán jìng māo
在黑暗中有助于探索周围的环境。猫
zài yù dí huò hài pà shí huì bǎ bèi gōng qǐ lái yàng zi
在遇敌或害怕时，会把背弓起来，样子
bǐ píng cháng xiōng ér qiě huì fā chū sī jiào de
比平常凶，而且会发出嘶叫的
shēng yīn zài píng shí zé duō fā miāo miāo de
声音，在平时则多发喵喵的
jiào shēng
叫声。

niǎo hé māo

鸟和猫

shù shang yì zhī niǎo
树上一只鸟，
dì shang yì zhī māo
地上一只猫。
dì shang māo xiǎng yǎo shù shang niǎo
地上猫想咬树上鸟，
shù shang niǎo xiǎng zhuó dì shang māo
树上鸟想啄地上猫。

看图学英语

home 家

家猫

jiā māo shì cóng yě māo xùn huà ér lái de jīng guò rén lèi cháng qī de sì yù bú dàn guǎng bù yú quán shì jiè ér qiě chǎn shēng le xǔ duō pǐn zhǒng yǒu cháng máo de duǎn máo de dān yī sè de zá sè de hái yǒu liǎng yǎn bù tóng sè de zhù míng de yǒu bō sī māo miǎn diàn māo ā bǐ xī ní yà māo xǐ mǎ lā yǎ māo děng

家猫是从野猫驯化而来的，经过人类长期的饲育，不但广布于全世界，而且产生了许多品种，有长毛的、短毛的、单一色的、杂色的，还有两眼不同色的，著名的有波斯猫、缅甸猫、阿比西尼亚猫、喜马拉雅猫等。

duō duo hé gē ge
多多和哥哥

duō duo hé gē ge, yì qǐ fēn guǒ guo
多多和哥哥，一起分果果。

duō duo ràng gē ge, gē ge ràng duō duo
多多让哥哥，哥哥让多多。

dōu shuō yào xiǎo de, dà jiā lè hē hē
都说要小的，大家乐呵呵。

水果

shuǐ guǒ chú le kǒu wèi xiāng tián shòu huān yíng wài, yě tóng qí tā shí wù yí yàng wèi wǒ men tí gōng zhe bì yào de yíng yǎng sù。 shuǐ guǒ zhōng wéi shēng sù de hán liàng zuì duō。 yì bān de shuǐ guǒ dōu shì shēng chī, guǒ zhī nèi de wéi shēng sù kě yǐ miǎn zāo qí tā yīn sù de pò huài ér quán bù bèi rén tǐ xī shōu。

水果除了口味香甜受欢迎外，也同其他食物一样为我们提供着必要的营养素。水果中维生素的含量最多。一般的水果都是生吃，果汁内的维生素可以免遭其他因素的破坏而全部被人体吸收。

hēi dòu
黑豆

hēi dǒu lǐ bian fàng hēi dòu
黑斗里边放黑豆，
hēi dòu fàng zài hēi dǒu li
黑豆放在黑斗里。
hēi dòu fàng hēi dǒu
黑豆放黑斗，
hēi dǒu fàng hēi dòu
黑斗放黑豆，
bù zhī hēi dòu fàng hēi dǒu
不知黑豆放黑斗，
hái shì hēi dǒu fàng hēi dòu
还是黑斗放黑豆。

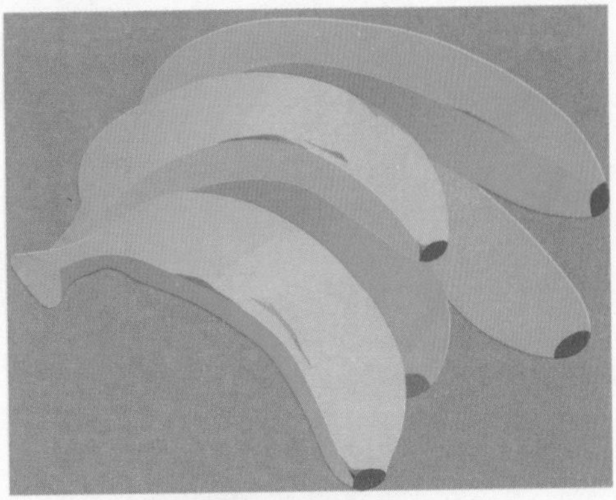

黑豆

hēi dòu hé huáng dòu dà dòu de yíng yǎng chéng fèn xiāng tóng dàn hēi dòu de dàn bái zhì jí tiě zhì de hán liàng bǐ jiào gāo suǒ yǐ bù shǎo rén xǐ huan shǐ yòng tā zhì chéng gè zhǒng shí pǐn xiàng hēi dòu jiāng pào hēi dòu jiǔ děng
黑豆和黄豆、大豆的营养成分相同，但黑豆的蛋白质及铁质的含量比较高，所以不少人喜欢使用它制成各种食品，像黑豆浆、泡黑豆酒等。
hēi dòu yǒu lì niào zhì gǎn mào huó xuè hé jiě dú děng gōng xiào
黑豆有利尿、治感冒、活血和解毒等功效。

bǔ xié
补鞋

yì zhī pò pí xié, yì zhī pò pú xié,
一只破皮鞋，一只破蒲鞋，
pí xié bǔ pú xié, pú xié bǔ pí xié,
皮鞋补蒲鞋，蒲鞋补皮鞋，
pí xié pú xié, pú xié pí xié
皮鞋、蒲鞋，蒲鞋、皮鞋……

皮鞋

ér tóng jī jiàn nèn gǔ gé ruǎn gè bù fen zǔ zhī qì guān chǔ yú gāo sù shēng zhǎng fā yù de jiē duàn rú guò zǎo de chuān pí xié róng yì dǎo zhì jiǎo bù jī xíng yīn wèi gè lèi pí xié tán lì chà yìng dù dà shēn suō xìng xiǎo bāng dǐ yòu yìng yì yā pò ér tóng jiǎo bù shén jīng hé xuè guǎn yǐng xiǎng jiǎo zhǎng hé zú zhǐ de zhèngcháng shēngzhǎng fā yù

儿童肌腱嫩、骨骼软，各部分组织器官处于高速生长发育的阶段。如过早地穿皮鞋，容易导致脚部畸形，因为各类皮鞋弹力差、硬度大、伸缩性小，帮、底又硬，易压迫儿童脚部神经和血管，影响脚掌和足趾的正常生长发育。

lóng zuò mèng
龙做梦

qīng lóng dòng zhōng kùn qīng lóng， qīng lóng zuò mèng chū lóng dòng。
青龙洞中困青龙，青龙做梦出龙洞。

zuò le qiān nián wàn zǎi mèng， lóng dòng kùn lóng zài shēn dòng。
做了千年万载梦，龙洞困龙在深洞。

zì cóng lái le xīn yú gōng， tǒng kāi lóng dòng jiù qīng lóng。
自从来了新愚公，捅开龙洞救青龙。

qīng lóng dòng zhōng chū qīng lóng， qīng lóng nóng tián zuò nóng gōng。
青龙洞中出青龙，青龙农田做农工。

龙

lóng shì zhōng guó shén huà zhōng de yì zhǒng shén qí dòng wù， chuán shuō néng yǐn néng xiǎn， yòu néng xīng yún zhì yǔ， wéi sì líng （lóng、fèng、qí lín、guī） zhī shǒu， hòu chéng wéi huáng quán xiàng zhēng， lì dài dì wáng dōu zì mìng wéi lóng。 lóng yǐ chéng wéi yì zhǒng wén huà， bù jǐn zài zhōng huá dà dì shang chuán bō chéng jì， hái bèi huá rén dài dào le shì jiè gè dì。

龙是中国神话中的一种神奇动物，传说能隐能显，又能兴云致雨，为四灵（龙、凤、麒麟、龟）之首，后成为皇权象征，历代帝王都自命为龙。龙已成为一种文化，不仅在中华大地上传播承继，还被华人带到了世界各地。

máo mao hé māo mao
毛毛和猫猫

máo mao yǒu yì dǐng huī mào mao
毛毛有一顶灰帽帽，
māo mao yǒu yì shēn huī máo mao
猫猫有一身灰毛毛。
máo mao yào māo mao de huī máo mao
毛毛要猫猫的灰毛毛，
māo mao yào máo mao de huī mào mao
猫猫要毛毛的灰帽帽。
máo mao bǎ huī mào mao sòng gěi māo mao
毛毛把灰帽帽送给猫猫，
māo mao bá jǐ gēn huī máo gěi máo mao
猫猫拔几根灰毛给毛毛。

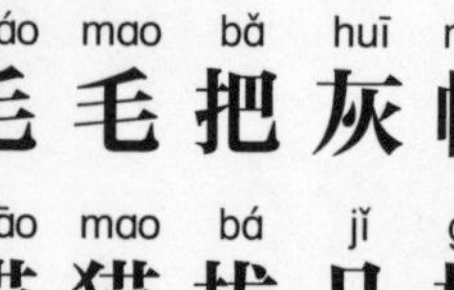

猫

māo de shēn xíng róu měi hěn tǎo rén lèi xǐ ài māo
猫的身形柔美，很讨人类喜爱。猫
hé shī hǔ bào tóng shǔ yú shí ròu mù māo kē suǒ yǐ
和狮、虎、豹同属于食肉目猫科，所以
xí xìng shang yǒu xiē xiāng tóng māo xǐ huan dān dú xíng dòng
习性上有些相同。猫喜欢单独行动，
wéi ròu shí xìng dòng wù xǐ huan chī lǎo shǔ xiǎo niǎo yú
为肉食性动物，喜欢吃老鼠、小鸟、鱼
děng xiǎo dòng wù cháng zài wǎn shang huó dòng hé
等小动物，常在晚上活动和
mì shí
觅食。

hóng huā yǔ huáng huā
红花与黄花

huá hua yǒu liǎng duǒ hóng huā
华华有两朵红花，
huā hua yǒu liǎng duǒ huáng huā
花花有两朵黄花。
huá hua xiǎng yào huā hua de huáng huā
华华想要花花的黄花，
huā hua xiǎng yào huá hua de hóng huā
花花想要华华的红花。
huá hua sòng gěi huā hua yì duǒ hóng huā
华华送给花花一朵红花，
huā hua sòng gěi huá hua yì duǒ huáng huā
花花送给华华一朵黄花。

花青素

huā de yán sè lái zì xì bāo nèi suǒ hán de sè sù
花的颜色来自细胞内所含的色素。
hóng lán zǐ sè zhǔ yào shì yóu huā qīng sù zào chéng de
红、蓝、紫色主要是由花青素造成的。
huā qīng sù shì yì zhǒng duō biàn de sè sù huì suí zhe wēn dù
花青素是一种多变的色素，会随着温度
hé suān jiǎn dù gǎi biàn yán sè yě yīn cǐ zēng
和酸碱度改变颜色，也因此增
jiā le xǔ duō sè cǎi de biàn huà huáng chéng hé
加了许多色彩的变化。黄、橙和
bù fen hóng sè zé yóu lèi hú luó bo sù xíng chéng
部分红色则由类胡萝卜素形成。

zào fáng zi
造房子

dì shang jiǎn kē xiǎo shí zǐ
地上捡颗小石子，
suí shǒu huà gè fāng gé zi
随手画个方格子，
huà hǎo gé zi zào fáng zi
画好格子造房子。
dà fāng gé zi zào gè dà fáng zi
大方格子造个大房子，
xiǎo fāng gé zi zào gè xiǎo fáng zi
小方格子造个小房子。
dà fáng zi fēn gěi dà gē zi
大房子分给大鸽子，
xiǎo fáng zi fēn gěi xiǎo é zi
小房子分给小蛾子。

鸽子

gē zi kě yǐ cóng shù qiān yīng lǐ de dì fang zhǎo dào huí
鸽子可以从数千英里的地方找到回
jiā de lù zhè shì yì zhǒng shén qí de néng lì rú jīn kē
家的路，这是一种神奇的能力，如今科
xué jiā zhèng shí gē zi de shàng huì què shí jù yǒu yì zhǒng néng
学家证实鸽子的上喙确实具有一种能
gòu gǎn yìng cí chǎng de jīng bāo zhèng shì zhè zhǒng
够感应磁场的晶胞，正是这种
qì guān wèi gē zi de fēi xíng jìn xíng dǎo háng
器官为鸽子的飞行进行导航。

xiǎo niú zhòng liǔ

小牛种柳

liú xiǎo niú cháng zhòng liǔ liǔ chéng háng háng háng liǔ

刘小牛，常种柳。柳成行，行行柳。

fēng chuī liǔ liǔ zhī niǔ lè huài le liú xiǎo niú

风吹柳，柳枝扭，乐坏了，刘小牛。

柳枝

liǔ zhī wéi liǔ kē zhí wù chuí liǔ de zhī tiáo yòu chēng liǔ tiáo yáng liǔ tiáo duō shēng zhǎng yú shuǐ biān shī dì wǒ guó dà bù fen dì qū dōu yǒu fēn bù zhōng yī xué rèn wéi liǔ zhī xìng wèi kǔ hán yǒu tuì shāo zhǐ tòng lì niào xiāo zhǒng de gōng xiào

柳枝为柳科植物垂柳的枝条，又称柳条、杨柳条，多生长于水边湿地，我国大部分地区都有分布。中医学认为，柳枝性味苦、寒，有退烧、止痛、利尿、消肿的功效。

hǎo hái zi
好孩子

zhào jiā yǒu gè xiǎo nán zi, qián jiā yǒu gè xiǎo lán zi。
赵家有个小楠子，钱家有个小兰子。

zhào jiā de xiǎo nán zi, zì jǐ chuān yī xǐ wà zi,
赵家的小楠子，自己穿衣洗袜子，

tiān tiān sǎo dì cā zhuō zi。qián jiā de xiǎo lán zi,
天天扫地擦桌子。钱家的小兰子，

shí dào yì zhī qián jiā zi, huán gěi hòu yuàn dà shěn zi。
拾到一只钱夹子，还给后院大婶子。

xiǎo nán zi hé xiǎo lán zi, tā men dōu shì hǎo hái zi。
小楠子和小兰子，她们都是好孩子。

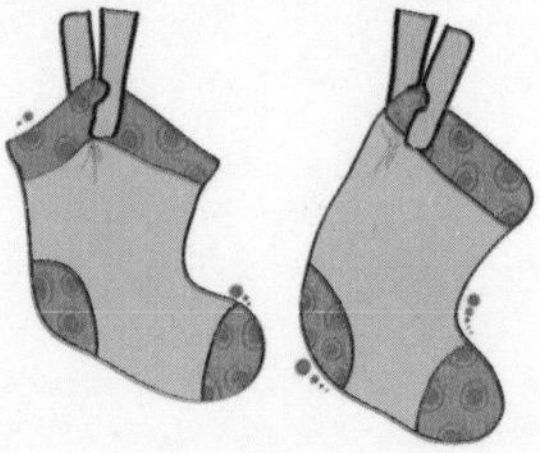

做家务

ràng ér tóng zuò jiā wù de mù dì bù zhǐ shì shǐ tā men wán chéng rèn wu, ér shì jiāo huì tā men yǐ hòu “zěn yàng qù gōng zuò”, péi yǎng fā zhǎn hái zi liáng hǎo de jīng shén zhī zhù: zé rèn、zì zhǔ、zì zhòng hé néng lì, yuǎn yuǎn bǐ zhǐ jiǎng jiū chī、chuān、zhù děng tiáo jiàn zhòng yào。

让儿童做家务的目的不只是使他们完成任务，而是教会他们以后“怎样去工作”，培养发展孩子良好的精神支柱：责任、自主、自重和能力，远远比只讲究吃、穿、住等条件重要。

zhí shù
植树

lǎo zhū dà zhū hé xiǎo zhū zhōu mò jiāo wài qù zhí shù
老朱大朱和小朱，周末郊外去植树。

màn tiān dà wù pū mǎn lù wù xiàng huī bù bú rèn lù
漫天大雾铺满路，雾像灰布不认路。

dà zhū guān zhù hǎn xiǎo zhū lǎo zhū káng chú yòu tí shù
大朱关注喊小朱。老朱扛锄又提树。

zhōng yú wù sàn rèn qīng lù dà jiā zhí shù jìn yì wù
终于雾散认清路，大家植树尽义务。

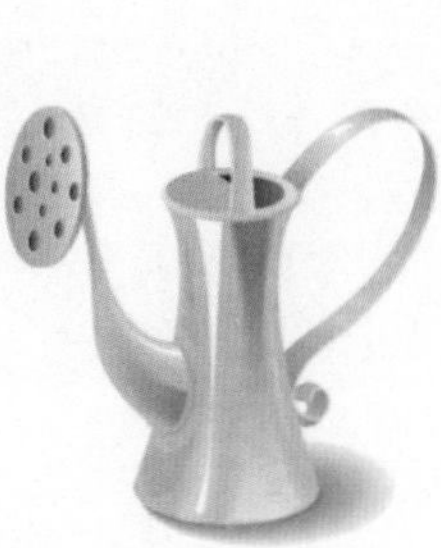

铁金属

wǒ guó shì shì jiè shang zuì zǎo zhǎng wò yě jīn jì shù
我国是世界上最早掌握冶金技术
de guó jiā zhī yī xiān jìn de yě jīn jì shù cù jìn le xī
的国家之一。先进的冶金技术促进了西
zhōu hòu qī chūn qiū zhàn guó shí qī shēng chǎn lì de zhòng dà
周后期、春秋战国时期生产力的重大
jìn bù yě cù jìn le zhōng huá mín zú de tǒng yī hé fā
进步，也促进了中华民族的统一和发
zhǎn wǒ guó tiě jīn shǔ yìng yòng yú nóng yè
展。我国铁金属应用于农业，
shǐ yú chūn qiū chū qī guǎng fàn cǎi yòng yú zhàn
始于春秋初期，广泛采用于战
guó shí qī
国时期。

bǐ chuí
比锤

lú dōng yǒu gè chuí kuài chuí
炉东有个锤快锤，
lú xī yǒu gè chuí chuí kuài
炉西有个锤锤快，
liǎng rén lú qián lái bǐ sài
两人炉前来比赛，
bù zhī shì chuí kuài chuí bǐ chuí
不知是锤快锤比锤
chuí kuài chuí de kuài
锤快锤得快？
hái shì chuí chuí kuài bǐ chuí kuài
还是锤锤快比锤快
chuí chuí de kuài
锤锤得快？

冶铁

wǒ guó rén gōng yě tiě de zuì zǎo shí jiān bù wǎn yú chūn
我国人工冶铁的最早时间不晚于春
qiū zhōng qī shǔ yú chūn qiū wǎn qī de tiě qì yǐ fā xiàn guò
秋中期。属于春秋晚期的铁器已发现过
duō jiàn qí zhōng zài jiāng sū liù hé chéng qiáo chū tǔ de yī
多件，其中在江苏六合程桥出土的一
jiàn tiě kuài jīng kē xué jiā fēn xī shì bái kǒu shēng tiě
件铁块，经科学家分析，是白口生铁，
zhè shì qì jīn wéi zhǐ wǒ guó chū tǔ de zuì zǎo de
这是迄今为止我国出土的最早的
shēng tiě shí wù yě shì shì jiè shang zuì zǎo de
生铁实物，也是世界上最早的
shēng tiě shí wù
生铁实物。

bái jiā bó bo
白家伯伯

běi pō bái jiā bái bó bo
北坡白家白伯伯，
yǎng zhe bā zhī dà bái é
养着八只大白鹅，
mén kǒu zhòng zhe bái guǒ shù
门口种着白果树，
shù shang zhù zhe bái bā ge
树上住着白八哥。
bā ge shù shang chī bái guǒ
八哥树上吃白果，
bái é qì de shù xià jiào
白鹅气得树下叫：
wǒ è wǒ è wǒ hěn è
我饿！我饿！我很饿！

八哥

bā ge shì wǒ guó huá nán hé xī nán zhū shěng cháng jiàn de liú niǎo bā ge de yǔ máo suī bù hěn yàn lì dàn róng yì sì yǎng yòu shàn yú mó fǎng qí tā niǎo de míng shēng xué rén yǔ hái néng xiào fǎng lǎ ba shēng gē shēng yuè ěr yīn diào yòu fù yǒu xuán lǜ shēn wéi rén men suǒ xǐ ài
八哥是我国华南和西南诸省常见的留鸟。八哥的羽毛虽不很艳丽，但容易饲养，又善于模仿其他鸟的鸣声，学人语，还能效仿喇叭声，歌声悦耳，音调又富有旋律，深为人们所喜爱。

huà shī zi
画狮子

yǒu gè hǎo hái zi
有个好孩子，
xué huà shí shī zi
学画石狮子。
yì tiān huà yí cì
一天画一次，
shí tiān huà shí cì
十天画十次。
cì cì huà shī zi
次次画狮子
tiān tiān huà shī zi
天天画狮子，
shí shī zi huà chéng le huó shī zi
石狮子画成了“活狮子”。

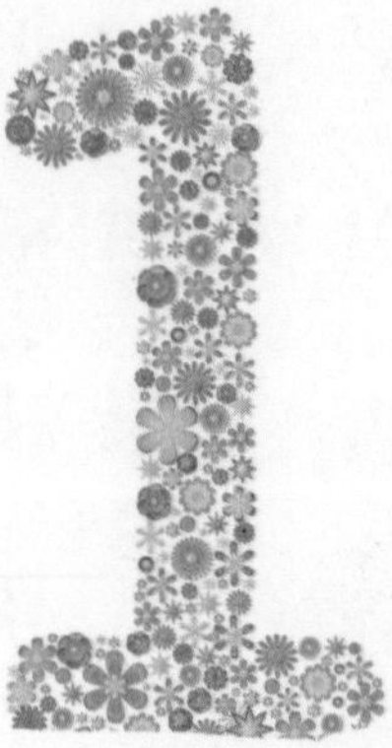

狮子

shī zi mù qián jǐn fēn bù zài fēi zhōu rè dài cǎo yuán
狮子目前仅分布在非洲热带草原。
yuán lái zài wēn dài dì qū de shī zi yóu yú rén lèi de làn shā
原来在温带地区的狮子由于人类的滥杀，
yǐ bīn lín miè jué zhǐ yǒu yìn dù hái yǒu jí
已濒临灭绝。只有印度还有极
shǎo shù de shī zi bèi rén lèi sì yǎng bìng jiā
少数的狮子，被人类饲养并加
yǐ bǎo hù
以保护。

gāo gāo shān shang yì tiáo téng
高高山上一条藤

gāo gāo shān shang yì tiáo téng　téng tiáo tóu shang guà tóng líng
高高山上一条藤，藤条头上挂铜铃。

fēng chuī téng dòng tóng líng dòng　fēng tíng téng tíng tóng líng tíng
风吹藤动铜铃动，风停藤停铜铃停。

藤本植物

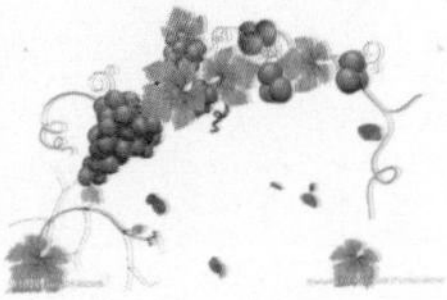

téng běn zhí wù wèi le huò qǔ chōng zú de yáng guāng cháng cháng huì yī kào xī pán xī fù gēn juǎn xū gōu cì děng tè shū qì guān tōng guò chán rào pān yuán děng fāng shì shēng zhǎng zài jiàn zhù wù qiáng miàn wū dǐng yáng tái péng jià wéi qiáng láng zhù qiáo liáng yuán mén hé shān shí shang rán hòu zài shùn zhe zhè xiē wù tǐ bú duàn xiàng shàng shēng zhǎng zhè shì téng běn zhí wù cháng qī duì zì rán shì yìng de jié guǒ

藤本植物为了获取充足的阳光，常常会依靠吸盘、吸附根、卷须、钩、刺等特殊器官，通过缠绕、攀缘等方式，生长在建筑物墙面、屋顶、阳台、棚架、围墙、廊柱、桥梁、园门和山石上，然后再顺着这些物体不断向上生长。这是藤本植物长期对自然适应的结果。

mà mǎ
骂马

mā ma dì li qù zhòng má wǒ dào dì biān qù fàng mǎ
妈妈地里去种麻，我到地边去放马。
wǒ de mǎ chī mā ma má qì de mā ma zhí mà mǎ
我的马吃妈妈麻，气得妈妈直骂马。

马

zài jǐ zhuī dòng wù jìn huà shǐ zhōng yǒu guān mǎ de jìn huà shì liǎo jiě de bǐ jiào qīng chǔ de qí yuán yīn zhī yī shì huà shí fēng fù yīn ér yán jiū de bǐ jiào xiáng xì mǎ lèi cháng bèi kàn zuò shì zhí xiàng jìn huà de diǎn xíng lì zi tā men cóng zuì zǎo de zǔ xiān kāi shǐ yì zhí dào xiàn dài de zhǒng lèi jī běn shang dōu shì yán zhe yì tiáo zhí xiàn jìn huà de fēn zhī jiào shǎo

在脊椎动物进化史中，有关马的进化是了解得比较清楚的，其原因之一是化石丰富，因而研究得比较详细。马类常被看作是“直向进化”的典型例子，它们从最早的祖先开始，一直到现代的种类，基本上都是沿着一条直线进化的，分支较少。

hé huā hé há ma

荷花和蛤蟆

yì duǒ fěn hóng dà hé huā shàng pā yì zhī huó há ma

一朵粉红大荷花，上趴一只活蛤蟆。

bā duǒ fěn hóng dà hé huā pā zhe bā zhī huó há ma

八朵粉红大荷花，趴着八只活蛤蟆。

荷花

hé huā yòu míng lián huā shì yì zhǒng shuǐ shēng cǎo běn zhí wù tā shēng yú bì bō zhī zhōng huā kāi yú yán xià zhī shí yè sì bì yù pán jīng sì lǜ cuì zhù huā rú chū shuǐ fú róng qīng xiāng yuǎn yì huā hòu yòu tuō chū yì pán zhēn zhū bān de yíng yǎng fēng fù de lián zǐ dì xià mái zhe tián cuì de ǒu jīng zhēn shì quán shēn shì bǎo jì yǒu guān shǎng jià zhí yòu néng chǎn shēng jīng jì xiào yì

荷花又名莲花，是一种水生草本植物。它生于碧波之中，花开于炎夏之时。叶似碧玉盘，茎似绿翠柱，花如出水芙蓉，清香远溢。花后又托出一盘珍珠般的、营养丰富的莲子，地下埋着甜脆的藕茎。真是全身是宝，既有观赏价值，又能产生经济效益。

rèn mìng rén míng

任命、人名

rèn mìng shì rèn mìng rén míng shì rén míng
任命是任命，人名是人名。
cuò jiāng rén míng rèn cuò mìng cuò jiāng rèn mìng rèn cuò míng
错将人名认错命，错将任命认错名。
rèn mìng rén míng bù néng cuò cuò le rén míng cuò rèn mìng
任命人名不能错，错了人名错任命。

称呼

wài guó rén míng de suō chēng biàn huà hěn duō tā yǔ ài
外国人名的缩称变化很多，它与爱
chēng zūn chēng xiǎo míng bú yì qū bié zhè zhǒng qíng kuàng
称、尊称、小名不易区别。这种情况，
zài wǒ guó rén míng chēng hu zhōng yě bù fá qí lì rú rén
在我国人名称呼中也不乏其例，如人
míng lǐ guì lán biàn yǒu xiǎo lǐ ā guì
名李桂兰，便有小李、阿桂、
lán lan lán er děng chēng hu
兰兰、兰儿等称呼。

chuán fān

船帆

shuǐ shang yǒu zhī chuán
水上有只船，
chuán shang guà bái fān
船上挂白帆。
fēng chuī yáng fān chuán xiàng qián
风吹扬帆船向前，
wú fēng luò fān tíng xià chuán
无风落帆停下船。

帆船

fān chuán de chuán fān zài bù tóng de nián dài suǒ xuǎn cái zhì hé zhì zuò fāng fǎ yě yǒu suǒ bù tóng cái zhì yì bān xuǎn zé bù liào zhǐ liào sī zhī wù zhí wù yè piàn děng

帆船的船帆在不同的年代，所选材质和制作方法也有所不同。材质一般选择布料、纸料、丝织物、植物叶片等。

zhì zuò fāng fǎ yǒu guà jiāo yùn tàng liàng shài zhì mú rè yā děng zhì zuò shí gēn jù bù tóng qíng kuàng kě dān dú yùn yòng yě kě jiāo chā yùn yòng

制作方法有挂胶、熨烫、晾晒、制模、热压等。制作时根据不同情况可单独运用也可交叉运用。

mā ma hé wá wa
妈妈和娃娃

mā ma xiù huā
妈妈绣花，
wá wa huà huà
娃娃画画。
mā ma xiù huà huà de wá wa
妈妈绣画画的娃娃，
wá wa huà xiù huā de mā ma
娃娃画绣花的妈妈。

看图学英语
mother 妈妈

刺绣

cì xiù sú chēng xiù huā shì zài yǐ jīng jiā gōng hǎo
刺绣俗称“绣花”，是在已经加工好
de zhī wù shang yǐ zhēn yǐn xiàn àn zhào shè jì yāo qiú jìn
的织物上，以针引线，按照设计要求进
xíng chuān cì tōng guò yùn zhēn jiāng xiù xiàn zǔ zhī chéng gè zhǒng
行穿刺，通过运针将绣线组织成各种
tú àn hé sè cǎi de yì zhǒng jì yì cì xiù zài wǒ guó yǒu
图案和色彩的一种技艺。刺绣在我国有
zhe yōu jiǔ de lì shǐ zhōng guó de cì xiù jì shù
着悠久的历史，中国的刺绣技术
míngyáng hǎi nèi wài
名扬海内外。

liú xiǎo niū hé liǔ xiǎo niú
刘小妞和柳小牛

liú cūn yǒu gè liú xiǎo niū
刘村有个刘小妞，
liǔ cūn yǒu gè liǔ xiǎo niú
柳村有个柳小牛。
liú xiǎo niū qù fàng niú
刘小妞去放牛，
liǔ xiǎo niú qù zhòng liǔ
柳小牛去种柳。
liú xiǎo niū ràng liǔ xiǎo niú qí niú
刘小妞让柳小牛骑牛，
liǔ xiǎo niú ràng liú xiǎo niū zāi liǔ
柳小牛让刘小妞栽柳。

牛

niú wéi cǎo shí xìng dòng wù dà dōu fēn bù zài rè dài
牛为草食性动物，大都分布在热带
dì qū niú yǒu sì gè wèi jù yǒu fǎn chú zuò yòng chī
地区。牛有四个胃，具有反刍作用。吃
cǎo shí bìng bù jǔ jué jiù tūn rù dì yī wèi hé dì èr wèi
草时并不咀嚼，就吞入第一胃和第二胃
zhōng rán hòu yòu yì diǎn yì diǎn de sòng huí kǒu zhōng jǔ jué
中，然后又一点一点地送回口中咀嚼，
zài chóng xīn yàn xià jīng guò dì sān wèi dì
再重新咽下，经过第三胃、第
sì wèi de xiāo huà zuì hòu sòng dào cháng nèi
四胃的消化，最后送到肠内。

yù yǔ
遇雨

liú xiǎo yú hé niú xiǎo yǔ fàng xué lái dào shù lín li
刘小鱼和牛小宇，放学来到树林里，
qīng qīng sōng sōng xué yīng yǔ hū rán piāo guò yí piàn yún
轻轻松松学英语。忽然飘过一片云，
huā lā huā lā xià qǐ yǔ xiǎo yú xiǎo yǔ máng bì yǔ
“哗啦哗啦”下起雨，小鱼小宇忙避雨。

雷电

zài hù wài yù dào léi diàn zěn me bàn yào zài lù biān de shāng diàn li duǒ bì bù néng zài shù xià bì yǔ rú guǒ zài kōng kuàng de lù miàn shang yù dào léi diàn jiù dūn xià shēn zi jiàng dī zì shēn gāo dù
在户外遇到雷电怎么办？要在路边的商店里躲避，不能在树下避雨。如果在空旷的路面上遇到雷电，就蹲下身子，降低自身高度。

máo mao hé nào nao

毛毛和闹闹

máo mao hé nào nao pǎo bù yòu tiào gāo
毛毛和闹闹，跑步又跳高。

máo mao tiào bú guò nào nao nào nao pǎo bú guò máo mao
毛毛跳不过闹闹，闹闹跑不过毛毛。

máo mao jiāo nào nao liàn pǎo nào nao jiāo máo mao tiào gāo
毛毛教闹闹练跑，闹闹教毛毛跳高。

máo mao tiào guò le nào nao nào nao pǎo guò le máo mao
毛毛跳过了闹闹，闹闹跑过了毛毛。

跑步

pǎo bù shì yí xiàng shí yòng jì néng yùn yòng tā duàn跑步是一项实用技能，运用它锻

liàn shēn tǐ duì zhèng zài chéng zhǎng de qīng shào nián lái jiǎng炼身体，对正在成长的青少年来讲，

shì fā zhǎn sù dù nài lì líng qiǎo xié tiáo děng yùn dòng是发展速度、耐力、灵巧、协调等运动

sù zhì cù jìn yùn dòng qì guān hé nèi zàng qì guān jī néng素质，促进运动器官和内脏器官机能

de fā zhǎn zēng qiáng tǐ zhì de yǒu xiào shǒu duàn duì zhōng的发展，增强体质的有效手段。对中

lǎo nián rén lái shuō pǔ biàn rèn wéi shì bǎo chí老年人来说，普遍认为是保持

jīng lì yǔ tǐ lì yán nián yì shòu qiáng shēn精力与体力，延年益寿、强身

qū bìng de hǎo fāng fǎ祛病的好方法。

xié zi hé qié zi
鞋子和茄子

yǒu gè xiǎo hái zi
有个小孩子，
shǒu ná xiǎo xié zi
手拿小鞋子。
kàn jiàn yǒu qié zi
看见有茄子，
wān yāo jiǎn qié zi
弯腰捡茄子。
jiǎn qǐ le qié zi
捡起了茄子，
wàng diào le xié zi
忘掉了鞋子。

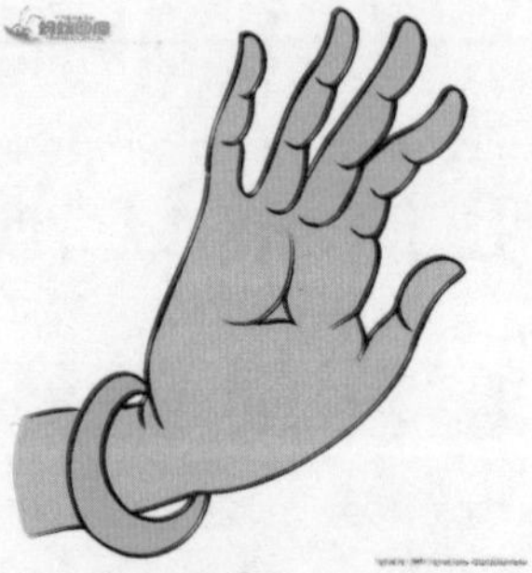

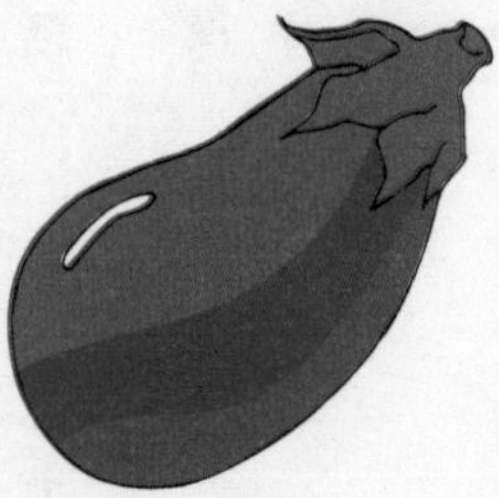

茄子

qié zi zài wǒ guó de zāi péi yǐ dá nián zhī jiǔ
茄子在我国的栽培已达2000年之久。
qié zi shì yǐ jiāng guǒ wéi chǎn pǐn de cǎo běn zhí wù
茄子是以浆果为产品的草本植物，
shì xià qiū liǎng jì jīng cháng shí yòng de dà zhòng shū cài zhī yī
是夏秋两季经常食用的大众蔬菜之一。
qié zi yíng yǎng fēng fù yóu qí hán dà liàng wéi shēng sù néng bǎo hù xuè guǎn
茄子营养丰富，尤其含大量维生素D，能保护血管。

hú dēng long

糊灯笼

hóng hong hú gè hóng fěn dēng long
红红糊个红粉灯笼，
fěn fen hú gè fěn hóng dēng long
粉粉糊个粉红灯笼。
hóng hong hú wán hóng fěn dēng long hú fěn hóng dēng long
红红糊完红粉灯笼糊粉红灯笼，
fěn fen hú wán fěn hóng dēng long hú hóng fěn dēng long
粉粉糊完粉红灯笼糊红粉灯笼。

灯笼

zhōng guó dēng long yǒu zhe dú tè de yì shù zào yì hé jīng
中国灯笼有着独特的艺术造诣和精
zhàn de gōng yì jì shù qiān bǎi nián lái shàng zhì dì huáng
湛的工艺技术。千百年来，上至帝皇
gōng diàn bǎi shè xià zhì mín jiān shè huǒ xí sú dōu lí bù
宫殿摆设，下至民间社火习俗，都离不
kāi dēng shì zhōng guó dēng long shì zhōng guó mín jiān chuán tǒng gōng
开灯饰。中国灯笼是中国民间传统工
yì pǐn de guī bǎo zhī yī yuán yuǎn liú cháng
艺品的瑰宝之一，源远流长，
shì dài xiāngchuán
世代相传。

guò hé
过河

gē ge dì di pō qián zuò, kàn jiàn zǒu guò yì zhī é
哥哥弟弟坡前坐，看见走过一只鹅。

gē ge shuō kuān kuān de hé
哥哥说：宽宽的河。

dì di shuō bái bái de é
弟弟说：白白的鹅。

é yào guò hé
鹅要过河，

hé yào dù é
河要渡鹅。

bù zhī shì é guò hé
不知是鹅过河，

hái shì hé dù é
还是河渡鹅。

鹅

é chì é pǔ é shé é cháng é zhūn shì
鹅翅、鹅蹼、鹅舌、鹅肠、鹅肫是
cān zhuō shang de měi wèi jiā yáo é yóu é dǎn é xuè
餐桌上的美味佳肴。鹅油、鹅胆、鹅血
shì shí pǐn gōng yè yī yào gōng yè de zhǔ yào yuán liào é
是食品工业、医药工业的主要原料。鹅
dǎn zhī gèng yǒu qīng rè zhǐ ké xiāo zhì chuāng zhī gōng xiào
胆汁更有清热、止咳、消痔疮之功效。
é gān yíng yǎng fēng fù xiān nèn wèi měi bèi
鹅肝营养丰富，鲜嫩味美，被
rèn wéi shì shì jiè shang shàng děng de yíng yǎng pǐn
认为是世界上上等的营养品
zhī yī
之一。

yā yǔ xiá
鸭与霞

shuǐ zhōng yìng zhe wǔ cǎi xiá，shuǐ miàn yóu zhe má huā yā。
水中映着五彩霞，水面游着麻花鸭。

má huā yā yóu jìn wǔ cǎi xiá，wǔ cǎi xiá wǎng zhù má huā yā。
麻花鸭游进五彩霞，五彩霞网住麻花鸭。

lè huài le má huā yā，pāi suì le wǔ cǎi xiá，
乐坏了麻花鸭，拍碎了五彩霞，

dào dǐ shì yā hái shì xiá。
到底是鸭还是霞。

鸭

yā，yòu míng jiā fú，bié chēng "biǎn zuǐ niáng"，shì wǒ guó nóng cūn pǔ biàn sì yǎng de zhǔ yào jiā qín zhī yī。yā ròu wèi dào xiān měi，fù hán yíng yǎng，bù jǐn shì chéng xiāng bǎi xìng jiā tíng cān zhuō shang de hūn shí jiā yáo，ér qiě hái kě rù yào，zhǔ yào yòng yú qīng bǔ qū bìng。

鸭，又名家凫，别称"扁嘴娘"，是我国农村普遍饲养的主要家禽之一。鸭肉味道鲜美，富含营养，不仅是城乡百姓家庭餐桌上的荤食佳肴，而且还可入药，主要用于清补祛病。

bái shí tǎ
白石塔

bái shí bái yòu huá bān lái dā bái tǎ
白石白又滑，搬来搭白塔。
bái shí dā shí tǎ bái tǎ bái shí dā
白石搭石塔，白塔白石搭。
dā hǎo bái shí tǎ bái tǎ bái yòu huá
搭好白石塔，白塔白又滑。

塔

zhōng guó de tǎ shì yǐ zì rán yǔ rén gōng xiāng jié hé
中国的塔是以自然与人工相结合，
yòng bǐ jiào jiǎn dān de cái liào jiàn chéng de qí gòu zào fāng shì
用比较简单的材料建成的。其构造方式
tōng guò xiān rén men de mō suǒ zǒng jié zhú bù de dá dào jiān
通过先人们的摸索总结，逐步地达到坚
gù nài jiǔ de zhuàng tài fú hé lì xué de yuán lǐ kě
固耐久的状态，符合力学的原理，可
yǐ kàng fēng kàng zhèn kàng jī zì rán jiè duì
以抗风、抗震、抗击自然界对
tǎ de fù zuò yòng
塔的副作用。

é zhuī é
鹅追鹅

é zhuī é, zhuī guò hé. é guò hé, é zhuī é.
鹅追鹅，追过河。鹅过河，鹅追鹅。

xiǎo é guò hé zhuī dà é, dà é xiǎo é qí guò hé.
小鹅过河追大鹅，大鹅小鹅齐过河。

鹅

é de zhǒng lèi dà zhì fēn wéi tài hú é、 wū zōng é、 bái é、 huō yǎn é、 yàn é、 yī lí é、 hēi zōng é děng, zài zhòng duō yōu liáng de é qún li yíng yǎng jià zhí jí gāo de jiù yào suàn chún zhǒng de hēi zōng é le.
鹅的种类大致分为太湖鹅、乌鬃鹅、白鹅、豁眼鹅、雁鹅、伊犁鹅、黑鬃鹅等，在众多优良的鹅群里营养价值极高的就要算纯种的黑鬃鹅了。

hēi zōng é shì yóu hóng yàn xùn huà ér lái de.
黑鬃鹅是由鸿雁驯化而来的。

tā tǐ zhì jiē shi, gǔ gé jiào xiǎo, ròu nèn duō zhī.
它体质结实，骨骼较小，肉嫩多汁。

chī líng jiao
吃菱角

chī líng jiao bāo líng qiào líng qiào diū zài běi qiáng jiǎo
吃菱角，剥菱壳。菱壳丢在北墙角。
bù chī líng jiǎo bù bāo qiào líng qiào bù diū běi qiáng jiǎo
不吃菱角不剥壳，菱壳不丢北墙角。

菱角

líng jiao gǔ shí jiào zuò líng yòu chēng shuǐ lì zi
菱角，古时叫作“菱”，又称水栗子。
líng jiao xìng wèi gān liáng wú dú yǒu xiāo dú jiě rè lì niào tōng rǔ zhǐ ké xiāo kě jiě jiǔ dú zhī gōng xiào
菱角性味甘凉、无毒，有消毒解热、利尿通乳、止咳消渴、解酒毒之功效。
líng jiao kě liáng kě guǒ tóng shí yě shì xiàn dài nǚ xìng měi róng jiǎn féi de fǔ zhù shí pǐn
菱角可粮可果，同时也是现代女性美容减肥的辅助食品。

wá wa ài huā
娃娃爱花

guā téng kāi huā xiàng lǎ ba
瓜藤开花像喇叭，
wá wa ài huā bù qiā huā
娃娃爱花不掐花。
yǒu huā cái jiē guā
有花才结瓜，
wú huā bù zhǎng guā
无花不长瓜。
rú guǒ xiǎng chī guā
如果想吃瓜，
jiù qǐng ài hù huā
就请爱护花。

丝瓜

chú sī guā wài sī guā huā guā pí guā yè
除丝瓜外，丝瓜花、瓜皮、瓜叶、
guā téng guā luò guā zǐ guā gēn jūn kě yào yòng
瓜藤、瓜络、瓜籽、瓜根均可药用。
guā huā qīng rè jiě dú guā pí kě zhì chuāng jiē guā
瓜花清热解毒；瓜皮可治疮疖；瓜
yè qīng rè jiě dú zhǐ ké huà tán wài
叶清热解毒、止咳化痰，外
yòng zhǐ xuè xiāo yán guā téng tōng jīn huó luò
用止血消炎；瓜藤通筋活络、
zhèn ké qū tán
镇咳祛痰。

xiāng cháng
香肠

xiāng cháng cháng　cháng xiāng cháng
香肠长，长香肠。
chǎo xiāng cháng　cháng xiāng cháng
炒香肠，尝香肠。
cháng chǎo xiāng cháng　cháng cháng xiāng cháng
常炒香肠，常尝香肠。

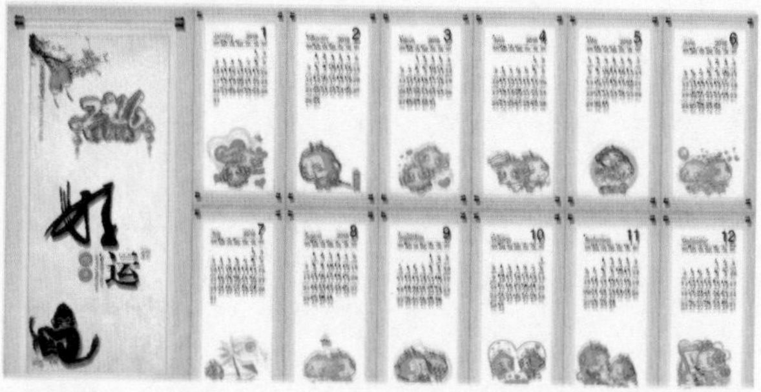

看图学英语
menology
月历

香肠

xiāng cháng shì wǒ guó chuán tǒng fēng wèi shí pǐn yǐ zhū
香肠是我国传统风味食品，以猪
de shòu ròu féi biāo qiē chéng dīng hòu jiā jiàng yóu qū jiǔ
的瘦肉、肥膘切成丁后加酱油、曲酒、
bái táng děng zhì xiàn guàn rù cháng yī jīng hōng gān huò rì
白糖等制馅，灌入肠衣，经烘干或日
shài ér chéng de fēi shú zhì pǐn yì bān zài tōng
晒而成的非熟制品，一般在通
fēng chù kě cún fàng gè yuè shí yòng shí
风处可存放6~12个月，食用时
xū zhēng zhǔ
需蒸煮。

gōng gong hé dōng dong

公公和冬冬

lóu dōng yǒu gè lǎo gōng gong
楼东有个老公公，
lóu xī yǒu gè xiǎo dōng dong
楼西有个小冬冬。
lǎo gōng gong jiāo xiǎo dōng dong rèn zì
老公公教小冬冬认字，
xiǎo dōng dong fú lǎo gōng gong zǒu lù
小冬冬扶老公公走路。
lǎo gōng gong shuō lóu xī yǒu gè guāi dōng dong
老公公说楼西有个乖冬冬，
xiǎo dōng dong shuō lóu dōng yǒu gè hǎo gōng gong
小冬冬说楼东有个好公公。

老年人

rén dào zhōng nián yǐ hòu tuǐ bù jī ròu lì liàng dà dà jiǎn ruò gǔ zhì zhú jiàn shū sōng ruǎn huà tán xìng rèn xìng jiàng dī ér xià zhī shì rén tǐ de zhòng yào zhī zhù lǎo nián rén yóu qí yīng gāi xiǎng fāng shè fǎ zēng jiā tuǐ bù huó dòng bǎo chí tuǐ bù jī ròu jiān shí yǒu lì

人到中年以后，腿部肌肉力量大大减弱，骨质逐渐疏松、软化，弹性、韧性降低。而下肢是人体的重要支柱，老年人尤其应该想方设法增加腿部活动，保持腿部肌肉坚实有力。

huí niáng jia

回娘家

yī yuè huí niáng jia，niáng jia wèi zhòng guā；
一月回娘家，娘家未种瓜；

èr yuè huí niáng jia，niáng jia zhèng zhòng guā；
二月回娘家，娘家正种瓜；

sān yuè huí niáng jia，niáng jia guā fā yá；
三月回娘家，娘家瓜发芽；

sì yuè huí niáng jia，niáng jia guā kāi huā；
四月回娘家，娘家瓜开花；

wǔ yuè huí niáng jia，niáng jia huā jiē guā；
五月回娘家，娘家花结瓜；

liù yuè huí niáng jia，niáng jia zhèng chī guā。
六月回娘家，娘家正吃瓜。

黄瓜

huáng guā，shēng chī hé zuò cài wèi dào dōu hěn hǎo。huáng guā shuǐ fèn duō，qí tā yíng yǎng chéng fèn bù duō，zhǐ shì yǒu jiào duō de tiě、jiǎ、wéi shēng sù A hé C，wéi shēng sù A zài huáng guā pí li hěn duō，suǒ yǐ huáng guā lián pí chī gèng hǎo。shēng huáng guā kě dāng shuǐ guǒ chī，qīng liáng、shuǎng kǒu，yān zhì de huáng guā kāi wèi，hán nà duō，dàn wéi shēng sù yǐ bù duō le。

黄瓜，生吃和做菜味道都很好。黄瓜水分多，其他营养成分不多，只是有较多的铁、钾、维生素A和C，维生素A在黄瓜皮里很多，所以黄瓜连皮吃更好。生黄瓜可当水果吃，清凉、爽口，腌制的黄瓜开胃，含钠多，但维生素已不多了。

yá shuā shuā yá
牙刷刷牙

yá shuā néng shuā yá
牙刷能刷牙，
shuā yá yòng yá shuā
刷牙用牙刷。
méng meng huì yòng yá shuā shuā yá
蒙蒙会用牙刷刷牙，
mèng meng bú huì yòng yá shuā shuā yá
梦梦不会用牙刷刷牙。
méng meng jiāo mèng meng yòng yá shuā shuā yá
蒙蒙教梦梦用牙刷刷牙，
mèng meng yòng yá shuā shuā chū yì kǒu hǎo yá
梦梦用牙刷刷出一口好牙。

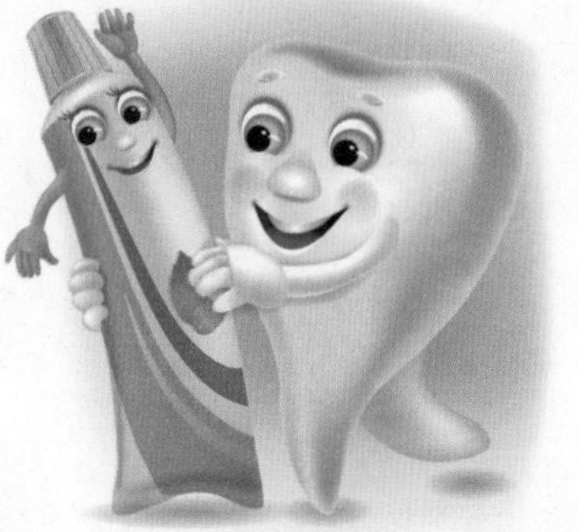

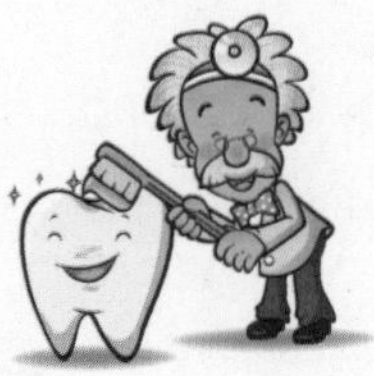

刷牙

shuā yá shì wéi hù kǒu qiāng wèi shēng de hǎo fāng fǎ bú dàn kě yǐ qīng chú yá miàn shang hé yá fèng jiàn xì li de yá gòu, ér qiě néng gòu jiǎn shǎo kǒu qiāng nèi xì jūn, duì yú fáng qǔ chǐ hé yá zhōu jí bìng yǒu zhòng yào yì yì。dàn rú guǒ shuā yá fāng fǎ bú dàng, jiù huì zào chéng yì xiē yá bìng, rú yá yín wěi suō、yá gēn bù wài lù、yá jǐng bù xiē xíng quē sǔn děng。

刷牙是维护口腔卫生的好方法，不但可以清除牙面上和牙缝间隙里的牙垢，而且能够减少口腔内细菌，对于防龋齿和牙周疾病有重要意义。但如果刷牙方法不当，就会造成一些牙病，如牙龈萎缩、牙根部外露、牙颈部楔形缺损等。

guā gua huā hua
瓜瓜、花花

dì li zhòng guā gua
地里种瓜瓜，
guā shang kāi huā hua
瓜上开花花。
kàn guā gua kàn huā hua
看瓜瓜，看花花，
yǒu guā kàn guā gua
有瓜看瓜瓜，
yǒu huā kàn huā hua
有花看花花。
guā gua hé huā hua
瓜瓜和花花，
dōu yào kàn yí kàn
都要看一看。

瓜

guā de zhǒng lèi hěn duō kě zuò cài de yǒu dōng guā
瓜的种类很多，可做菜的有冬瓜、
kǔ guā huáng guā nán guā sī guā máo guā děng děng
苦瓜、黄瓜、南瓜、丝瓜、毛瓜等等。
zhè xiē guā lèi zhǔ yào de chéng fèn shì shuǐ dàn bái zhì zhī
这些瓜类主要的成分是水，蛋白质、脂
fáng dōu hěn shǎo wéi shēng sù yě bǐ lǜ yè cài shǎo xiān wéi
肪都很少，维生素也比绿叶菜少，纤维
sù yǔ lǜ yè cài xiāng sì suǒ yǐ yào kào chī
素与绿叶菜相似，所以要靠吃
guā cài lái zēng jiā zhǔ yào yíng yǎng chéng fèn shì yuǎn
瓜菜来增加主要营养成分是远
yuǎn bú gòu de
远不够的。

jiào liàn hé zhǔ lì

教练和主力

lán jiào liàn shì nán jiào liàn, lǚ jiào liàn shì nǚ jiào liàn,
蓝教练是男教练，吕教练是女教练，

lán jiào liàn bú shì nǚ jiào liàn,
蓝教练不是女教练，

lǚ jiào liàn bú shì nán jiào liàn。
吕教练不是男教练。

lán nán shì nán lán zhǔ lì,
蓝楠是男篮主力，

lǚ nán shì nǚ lán zhǔ lì,
吕南是女篮主力，

lǚ jiào liàn zài nán lán xùn liàn lán nán,
吕教练在男篮训练蓝楠，

lán jiào liàn zài nǚ lán xùn liàn lǚ nán。
蓝教练在女篮训练吕南。

篮球

lán qiú shì nián yóu měi guó rén nài shǐ mì sī bó shì chuàng zào de qǐ chū tā jiāng liǎng zhī táo lán fēn bié dìng zài jiàn shēn fáng nèi kàn tái de lán gān shang táo lán shàng yán jù lí dì miàn mǐ yòng zú qiú zuò bǐ sài gōng jù xiàng táo lán tóu zhì tóu qiú rù lán dé fēn àn dé fēn duō shǎo jué dìng shèng fù

篮球是1891年由美国人奈史密斯博士创造的。起初，他将两只桃篮分别钉在健身房内看台的栏杆上，桃篮上沿距离地面3.04米，用足球做比赛工具，向桃篮投掷。投球入篮得1分，按得分多少决定胜负。

chū nán mén
出南门

chū nán mén wàng zhèng nán yǒu gè bù pù mén cháo nán
出南门，望正南，有个布铺门朝南。
wài miàn guà zhe mián bù lián lǐ bian mài zhe lán bù lián
外面挂着棉布帘，里边卖着蓝布帘。

棉布

mián bù shì yì zhǒng yǐ mián shā xiàn wéi yuán liào de jī zhī wù
棉布是一种以棉纱线为原料的机织物。
mián bù jù yǒu róu ruǎn shū shì bǎo nuǎn xī shī tòu qì xìng qiáng yì yú rǎn zhěng jiā gōng děng tè diǎn yóu yú tā de zhè xiē tiān rán tè xìng zǎo yǐ bèi rén men suǒ xǐ ài chéng wéi shēng huó zhōng bù kě quē shǎo de jī běn yòng pǐn
棉布具有柔软舒适、保暖、吸湿、透气性强、易于染整加工等特点，由于它的这些天然特性，早已被人们所喜爱，成为生活中不可缺少的基本用品。

zhòng guā
种瓜

mèng meng cóng xiǎo ài chī guā, shàng xué zhuān yè shì zhòng guā
梦梦从小爱吃瓜，上学专业是种瓜。
dōng guā xī guā mǎn yuán guā, nán guā běi guā mǎn shān pá
冬瓜西瓜满园瓜，南瓜北瓜满山爬。
nán nǚ lǎo shào qí kuā tā, mèng meng zhòng guā dǐng guā guā
男女老少齐夸她，梦梦种瓜顶呱呱。

南瓜

nán guā róng yì zāi péi shì xià jì de lǐ xiǎng shí pǐn lǎo shú de nán guā guā ròu wéi chéng huáng sè hán yǒu fēi cháng fēng fù de hú luó bo sù hé xiān wéi sù hái hán yǒu dòng huà méi néng róng jiě nán róng de dàn bái zhì shǐ rén tǐ róng yì xī shōu suǒ yǐ shuō nán guā shì yì zhǒng yōu liáng de bǎo jiàn shí pǐn

南瓜容易栽培，是夏季的理想食品。老熟的南瓜瓜肉为橙黄色，含有非常丰富的胡萝卜素和纤维素，还含有胨化霉，能溶解难溶的蛋白质，使人体容易吸收。所以说，南瓜是一种优良的保健食品。

wǒ hé é
我和鹅

wǒ shì wǒ　é shì é　wǒ bú shì é　é bú shì wǒ
我是我，鹅是鹅，我不是鹅，鹅不是我。

é è dù　wǒ wèi é　é qīn wǒ　wǒ ài é
鹅饿肚，我喂鹅，鹅亲我，我爱鹅。

鹅肉

é ròu yíng yǎng fēng fù　ròu nèn wèi měi　zhī fáng hán
鹅肉营养丰富，肉嫩味美，脂肪含
liàng dī　bù bǎo hé zhī fáng suān hán liàng gāo　duì rén tǐ jiàn
量低，不饱和脂肪酸含量高，对人体健
kāng shí fēn yǒu lì　é ròu wèi gān píng　yǒu bǔ yīn yì qì
康十分有利。鹅肉味甘平，有补阴益气、
nuǎn wèi kāi jīn　qū fēng shī fáng shuāi lǎo zhī xiào　shì zhōng
暖胃开津、祛风湿防衰老之效，是中
yī shí liáo zhōng de shàng pǐn　tóng shí é ròu zuò wéi lǜ sè
医食疗中的上品。同时鹅肉作为绿色
shí pǐn yú　nián bèi lián hé guó liáng nóng
食品于2002年被联合国粮农
zǔ zhī liè wéi　shì jì zhòng diǎn fā zhǎn de
组织列为21世纪重点发展的
lǜ sè shí pǐn zhī yī
绿色食品之一。

hóu zi chī táo zi
猴子吃桃子

táo zi shù shang jiē táo zi, táo zi shù xià zhàn hóu zi.
桃子树上结桃子，桃子树下站猴子。

fēng chuī táo shù huā huā xiǎng, táo zi shù shang diào táo zi.
风吹桃树哗哗响，桃子树上掉桃子。

táo zi dǎ dào xiǎo hóu zi, hóu zi chī diào xiǎo táo zi.
桃子打到小猴子，猴子吃掉小桃子。

金丝猴

jīn sī hóu shì zhōng guó tè yǒu de zhēn xī dòng wù zhī yī, shǔ guó jiā yī jí bǎo hù dòng wù. tā yuán tóu cháng wěi, bí kǒng cháo tiān, jiān bèi shang de máo fà chéng jīn huáng sè, cháng dá 30 lí mǐ yǐ shàng, kào chī shù pí, shù yè, huā guǒ hé zǐ shí wéi shēng.
金丝猴是中国特有的珍稀动物之一，属国家一级保护动物。它圆头长尾，鼻孔朝天，肩背上的毛发呈金黄色，长达30厘米以上，靠吃树皮、树叶、花果和籽实为生。

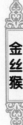

mà mǎ nǐng niú
骂马拧牛

mā ma qí zhe dà bái mǎ dà mǎ màn xíng mā mà mǎ
妈妈骑着大白马，大马慢行妈骂马。
niū niu qiān zhe xiǎo huā niú niú niù niū niu jí nǐng niú
妞妞牵着小花牛，牛拗妞妞急拧牛。

牛

niú kě fēn wéi yě niú hé chù niú chù niú de zhǒng lèi hěn duō yī zhào tǐ xíng hé yòng tú kě fēn wéi rǔ niú ròu niú rǔ ròu liǎng yòng niú hé yì niú sì lèi rǔ niú tǐ xíng jiào xiǎo rǔ xiàn fā dá ròu niú tǐ xíng kuān dà sì zhī duǎn ròu zhì hǎo rǔ ròu liǎng yòng niú de tǐ xíng zé jiè yú rǔ niú hé ròu niú zhī jiān yì niú tǐ xíng cū zhuàng nài rè

牛可分为野牛和畜牛。畜牛的种类很多，依照体型和用途可分为乳牛、肉牛、乳肉两用牛和役牛四类。乳牛体型较小，乳腺发达；肉牛体型宽大，四肢短，肉质好；乳肉两用牛的体型则介于乳牛和肉牛之间；役牛体型粗壮耐热。

huà bí
画鼻

nī ni hé mī mi， bì yǎn bǐ huà bí
妮妮和咪咪，闭眼比画鼻。
nī ni bǎ bí huà zài bì， mī mi bǎ bí huà zài xī
妮妮把鼻画在臂，咪咪把鼻画在膝。

看图学英语
match 比赛

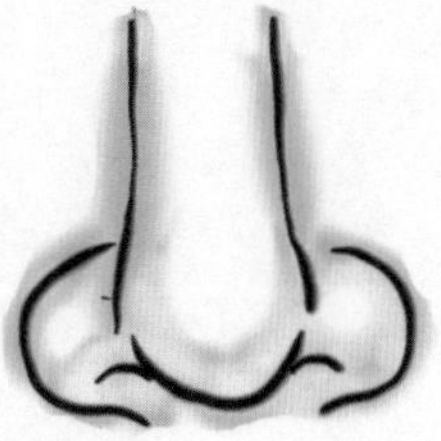

鼻子

bí zi zài liǎn páng zhōng yāng， shì rén tǐ hū xī dào de dà mén， tā yǒu liǎng gè bí kǒng， bí kǒng nèi yǒu xǔ duō bí máo。 rén men hū xī shí bí máo xiàng gè zhōng shí de wèi shì， duì kōng qì jìn xíng zǐ xì guò lǜ， bǎ huī chén dǎng zài wài miàn， bǎo zhèng fèi bù hé qì guǎn de qīng jié。

鼻子在脸庞中央，是人体呼吸道的大门，它有两个鼻孔，鼻孔内有许多鼻毛。人们呼吸时鼻毛像个忠实的卫士，对空气进行仔细过滤，把灰尘挡在外面，保证肺部和气管的清洁。

bí qiāng hái jù yǒu duì xī rù de lěng kōng qì jiā wēn de zuò yòng。

鼻腔还具有对吸入的冷空气加温的作用。

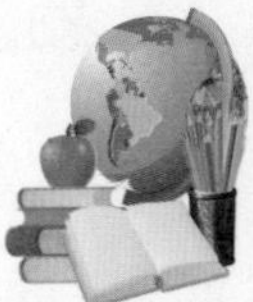

māo chī táo
猫吃桃

cūn biān yí zuò yáo yáo shang yǒu gè cáo
村边一座窑，窑上有个槽，
cáo li fàng jiàn páo páo li cáng gè táo
槽里放件袍，袍里藏个桃。
duì àn yì zhī māo xiǎng chī páo li táo
对岸一只猫，想吃袍里桃，
kě xī méi yǒu qiáo guò bù liǎo hé
可惜没有桥。过不了河，
shàng bù liǎo yáo gòu bù zháo cáo
上不了窑，够不着槽，
yǎo bú dào páo chī bù liǎo táo
咬不到袍，吃不了桃。

猫

māo de shēn shǒu jiǎo jiàn zòng shēn yí yuè kě yǐ tiào shàng wū dǐng ér qiě zǒu qǐ lù lái wú shēng wú xī chú le yīn wèi jiǎo dǐ yǒu ròu diàn zhī wài hái yīn wèi jiǎo zhǐ de gōu zhuǎ huì suō rù jiǎo qiào nèi māo zuǐ biān de chù xū yǒu mǐn ruì de chù jué zuò yòng zài hēi àn zhōng yǒu zhù yú tàn suǒ zhōu wéi de huán jìng

猫的身手矫健，纵身一跃可以跳上屋顶，而且走起路来无声无息。除了因为脚底有肉垫之外，还因为脚趾的钩爪会缩入脚鞘内。猫嘴边的触须有敏锐的触觉作用，在黑暗中有助于探索周围的环境。

qiǎo qiao hé xiǎo xiao
巧巧和小小

qiǎo qiao guò qiáo zhǎo lǎo lao
巧巧过桥找姥姥，
xiǎo xiao guò qiáo zhǎo sǎo sao
小小过桥找嫂嫂。
qiǎo qiao qiáo shang yù xiǎo xiao
巧巧桥上遇小小，
xiǎo xiao qiáo shang yù qiǎo qiao
小小桥上遇巧巧。
qiǎo qiao bāng xiǎo xiao zhǎo sǎo sao
巧巧帮小小找嫂嫂，
xiǎo xiao bāng qiǎo qiao zhǎo lǎo lao
小小帮巧巧找姥姥，
liǎng rén yì qǐ zhǎo lǎo lao hé sǎo sao
两人一起找姥姥和嫂嫂。

桥

rú guǒ shì jiè shang méi yǒu qiáo nà rén lèi shè huì jiāng
如果世界上没有桥，那人类社会将
bù kě néng shēng cún hé fā zhǎn yě bú huì yǒu jīn tiān zhè yàng
不可能生存和发展，也不会有今天这样
fēng fù duō cǎi de shēng huó qiáo liáng zuò wéi yì zhǒng jiàn zhù
丰富多彩的生活。桥梁作为一种建筑
jié gòu zài xīng jiàn tiě lù gōng lù lì jiāo qiáo qú
结构，在兴建铁路、公路、立交桥、渠
dào guǎn xiàn děng gōng chéng zhōng dōu fā huī le
道、管线等工程中，都发挥了
jù dà zuò yòng
巨大作用。

biǎn dan hé bǎn dèng
扁担和板凳

biǎn dan cháng bǎn dèng kuān
扁担长，板凳宽，
biǎn dan méi yǒu bǎn dèng kuān
扁担没有板凳宽，
bǎn dèng méi yǒu biǎn dan cháng
板凳没有扁担长。
biǎn dan yào bǎng zài bǎn dèng shang
扁担要绑在板凳上，
bǎn dèng bú ràng biǎn dan bǎng zài bǎn dèng shang
板凳不让扁担绑在板凳上，
biǎn dan piān yào bǎng zài bǎn dèng shang
扁担偏要绑在板凳上。

老年人

rén dào lǎo nián tǐ nèi de jī sù shuǐ píng huì zhú jiàn xià jiàng huá náng huì fā shēng tuì xíng xìng biàn huà yè tǐ fēn mì jiǎn shǎo yóu yú quē shǎo yè tǐ de bǎo hù yìng bǎn dèng huì duì huá náng jìn xíng mó cā jǐ yā cóng ér dǎo zhì zuò gǔ jié jié xìng huá náng yán de fā shēng
人到老年，体内的激素水平会逐渐下降，滑囊会发生退行性变化，液体分泌减少。由于缺少液体的保护，硬板凳会对滑囊进行摩擦、挤压，从而导致坐骨结节性滑囊炎的发生。

bīng bàng
冰蚌

bèi bei zhuō le bàn pén bàng, běi bei páo le bàn pén bīng.
贝贝捉了半盆蚌，北北刨了半盆冰。
bàn pén bàng huà bàn pén bīng, bàn pén bīng bīng bàn pén bàng.
半盆蚌化半盆冰，半盆冰冰半盆蚌。

海蚌

hǎi bàng shì wǒ guó hǎi chǎn pǐn zhōng de zhēn pǐn, ròu zhì cuì nèn, sè bái tòu míng, bàng ké lüè chéng sān jiǎo xíng, ér qiě hěn báo, jǐn zài dàn xián shuǐ jiāo huì chù de hǎi shuǐ xì shā zhōng shēng zhǎng, yǐ cháng lè zhānggǎng suǒ chǎn de zhì liàng zuì jiā.
海蚌是我国海产品中的珍品，肉质脆嫩，色白透明，蚌壳略呈三角形，而且很薄，仅在淡咸水交汇处的海水细沙中生长，以长乐漳港所产的质量最佳。

bái é xià hé
白鹅下河

xī bian yì tiáo hé
西边一条河，
hé biān yì qún é
河边一群鹅。
bái é chàng zhe gē
白鹅唱着歌，
hú li zhuī bái é
狐狸追白鹅，
é fēi é pǎo tiào xià hé
鹅飞鹅跑跳下河。

狐狸

hú li de wài xíng yǒu diǎnr xiàng gǒu bú guò tā de shēn tǐ jiào xì cháng wěi ba péng sōng ěr kǒu bí jiào jiān gāng mén páng yǒu chòu xiàn kě fā chū tè bié de hú chòu xìng qíng cāi yí ér qiě jiǎo huá hú wéi ròu shí xìng dòng wù yǐ lǎo shǔ tù zi wā niǎo lèi děng wéi shí huì qián rù nóng zhuāng tōu jī chī

狐狸的外形有点儿像狗，不过它的身体较细长，尾巴蓬松，耳口鼻较尖，肛门旁有臭腺，可发出特别的狐臭。性情猜疑，而且狡猾。狐为肉食性动物，以老鼠、兔子、蛙、鸟类等为食，会潜入农庄偷鸡吃。

lǎo shǔ tōu dòu yóu
老鼠偷豆油

yóu yì gāng dòu yì kuāng
油一缸，豆一筐，
lǎo shǔ wén dào yóu dòu xiāng
老鼠闻到油豆香。
liū shàng gāng pá jìn kuāng
溜上缸，爬进筐，
tōu yóu tōu dòu liǎng tóu máng
偷油偷豆两头忙。
yòu gāo xìng yòu huāng zhāng
又高兴，又慌张，
jiǎo dǐ huá shēn zi huàng
脚底滑，身子晃，
pū tōng diē jìn kuāng hé gāng
“扑通”跌进筐和缸。

鼠

duì yú wēi hài rén lèi de shǔ kě yǐ yòng dú shā xiàn shā huò yòng yào shǐ tā men bù néng shēng yù děng fāng fǎ lái xiāo miè bú guò zài shēng wù xué yī xué shang shǔ shì zuò shí yàn de hǎo cái liào dà bái shǔ jí xiǎo bái shǔ wéi cháng yòng de shí yàn dòng wù zài dòng wù yuán zhōng shǔ kě zuò wéi mǒu xiē dòng wù de shí wù

对于危害人类的鼠，可以用毒杀、陷杀或用药使它们不能生育等方法来消灭。不过，在生物学、医学上，鼠是做实验的好材料，大白鼠及小白鼠为常用的实验动物。在动物园中，鼠可作为某些动物的食物。

miào māo mào
庙、猫、帽

shān dǐng yǒu zuò gǔ bái miào
山顶有座古白庙，
miào li yǒu zhī xiǎo bái māo
庙里有只小白猫，
miào wài yǒu dǐng bái cǎo mào
庙外有顶白草帽。
bái māo kàn jiàn bái cǎo mào
白猫看见白草帽，
diāo zhe bái mào jìn bái miào
叼着白帽进白庙。

猫

māo de yǎn jing hěn tè bié tóng kǒng zài bái tiān huò míng liàng de dì fang huì suō wéi yì tiáo xiàn ér zài wǎn shang huò hēi àn de dì fang zé fàng dà chéng yuán xíng ér qiě tè bié míng liàng yīn wèi yǎn jing de shì wǎng mó hòu yǒu shǎn guāng tǎn de gòu zào huì jiāng shè rù de guāng xiàn fǎn shè chū lái

猫的眼睛很特别，瞳孔在白天或明亮的地方会缩为一条线，而在晚上或黑暗的地方则放大成圆形，而且特别明亮，因为眼睛的视网膜后有闪光毯的构造，会将射入的光线反射出来。

xiǎo liú mǎi yóu
小刘买油

xiǎo liú shì chǎng qù mǎi yóu
小刘市场去买油，
huí lái zhuàng dào yì tóu niú
回来撞到一头牛。
niú er shòu jīng tī fān yóu
牛儿受惊踢翻油，
nòng de niú jiǎo dōu shì yóu
弄得牛角都是油。

牛

niú de tǐ xíng féi zhuàng tóu shang yǒu yí duì wān qū ér
牛的体型肥壮，头上有一对弯曲而
zhōng kōng de jiǎo niú de yòng tú hěn duō kě zuò wéi jiāo
中空的角。牛的用途很多，可作为交
tōng gōng jù gēng tián niú rǔ niú ròu kě yǐ shí yòng
通工具、耕田；牛乳、牛肉可以食用；
niú pí kě zuò pí gé niú gǔ mó chéng fěn kě
牛皮可做皮革；牛骨磨成粉可
yǐ zuò sì liào féi liào niú yóu kě yǐ zuò féi
以做饲料、肥料；牛油可以做肥
zào
皂。

老鼠（lǎo shǔ）

老鼠咬囤囤漏豆，
老鼠啃篓篓漏油。
豆囤漏豆鼠啃豆，
油篓漏油鼠舔油。

看图学英语
bite 咬

老鼠

老鼠能适应各种恶劣环境，从炎热的赤道到酷寒的两极，都可见到这些小东西活跃的身影。甚至在原子弹爆炸的废墟上最早出现的动物也是老鼠。

mián huā bái
棉花白

mián huā bái，xuě huā bái，mián huā xuě huā yí yàng bái。
棉花白，雪花白，棉花雪花一样白。
mián huā fēi cháng xiàng xuě huā，xuě huā fēi cháng xiàng mián huā。
棉花非常像雪花，雪花非常像棉花。
dàn mián huā bú shì xuě huā，xuě huā yě bú shì mián huā。
但棉花不是雪花，雪花也不是棉花。
nuǎn hōng hōng de shì mián hua，lěng bīng bīng de shì xuě huā。
暖烘烘的是棉花，冷冰冰的是雪花。

雪

zài wǒ guó yǒu ruì xuě zhào fēng nián hé dōng tiān mài gài sān céng bèi lái nián zhěn zhe mán tou shuì de shuō fǎ kě jiàn xuě zài nóng mín xīn mù zhōng de zhòng yào xìng
在我国有“瑞雪兆丰年”和“冬天麦盖三层被，来年枕着馒头睡”的说法，可见雪在农民心目中的重要性。
xuě yě shì jìng huà kōng qì de hǎo shǒu yì chǎng xuě xià lái bù zhī dào duō shao bìng jūn bèi tā shā sǐ
雪也是净化空气的好手，一场雪下来，不知道多少病菌被它杀死。

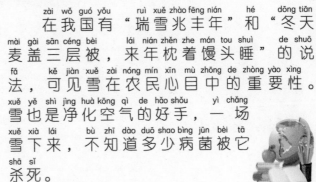

shī zi
狮子

wū li yǒu shí gè zhǐ shī zi
屋里有十个纸狮子，
wū wài yǒu sì gè shí shī zi
屋外有四个石狮子。
shí shī zi shì sǐ shī zi
石狮子是死狮子，
zhǐ shī zi shì sǐ shī zi
纸狮子是死狮子。
wú lùn zhǐ shī zi shí shī zi
无论纸狮子、石狮子，
dào dǐ dōu shì sǐ shī zi
到底都是死狮子。

狮子

shī zi de hǒu shēng zhèn tiān zī tài xióng wěi bèi
狮子的吼声震天，姿态雄伟，被
chēng wéi wàn shòu zhī wáng xióng shī de tóu jǐng bù zhǎng yǒu
称为“万兽之王”。雄狮的头颈部长有
zōng máo tǐ xíng jiào dà wài guān gé wài xióng zhuàng mǔ shī
鬃毛，体型较大，外观格外雄壮。母狮
jí yòu shī dōu méi yǒu zōng máo yòu shī shēn shang dài yǒu bān
及幼狮都没有鬃毛。幼狮身上带有斑
diǎn jǐ gè yuè dà shí jiù huì xiāo shī yí
点，几个月大时就会消失，一
suì yǐ hòu xióng shī kāi shǐ zhǎng zōng máo yào dào
岁以后雄狮开始长鬃毛，要到
wǔ suì cái zhǎng quán
五岁才长全。

é hé gē

鹅和鸽

tiān shàng yì qún xiǎo bái gē　hé li yì qún dà bái é

天上一群小白鸽，河里一群大白鹅。

bái gē jiān zuǐ xiàng tiān gē　bái é hóng zhǎng bō qīng bō

白鸽尖嘴向天歌，白鹅红掌拨清波。

bái gē jiǎn kāi duǒ duǒ yún　bái é bō kāi céng céng bō

白鸽剪开朵朵云，白鹅拨开层层波。

bái gē lè hē hē　bái é huó pō pō

白鸽乐呵呵，白鹅活泼泼，

bái é bái gē zhēn kuài lè

白鹅白鸽真快乐。

鹅

é de shòu mìng cháng　fán zhí nián líng yě bǐ qí tā jiā qín cháng　mǔ é zài dì yī nián chǎn dàn liàng jiào dī　dì èr nián bǐ dì yī nián duō chǎn　dì sān nián bǐ dì yī nián duō chǎn　suì yǐ hòu chǎn dàn liàng zhú jiàn xià jiàng　suǒ yǐ mǔ é de lì yòng nián xiàn wéi　nián　gōng é de xìng chéng shú rì líng bǐ mǔ é wǎn　lì yòng nián xiàn wéi　nián

鹅的寿命长，繁殖年龄也比其它家禽长。母鹅在第一年产蛋量较低，第二年比第一年多产15%~25%，第三年比第一年多产30%~45%，4~6岁以后产蛋量逐渐下降，所以母鹅的利用年限为3~4年，公鹅的性成熟日龄比母鹅晚，利用年限为5~6年。

shū biàn bian
梳辫辫

dà jiě jie shū biàn bian
大姐姐，梳辫辫，
zuǒ shǒu biān yòu shǒu biān
左手编，右手编。
biān hǎo biàn bian huàng huàng tóu
编好辫辫晃晃头，
mǎn tóu dōu shì xiǎo biàn bian
满头都是小辫辫。

头发

tóu fa cháng cháng chǔ yú shēng zhǎng zhōu qī de bù tóng
头发常常处于生长周期的不同
jiē duàn tuō luò hé shēng zhǎng chǔ yú dòng tài píng héng zhōng
阶段，脱落和生长处于动态平衡中，
píng jūn měi tiān yuē yǒu gēn zuǒ yòu de tóu fa tuō luò
平均每天约有100根左右的头发脱落。
dàn dāng tóu fa de tuō luò yǔ xīn shēng bù néng wéi chí píng héng
但当头发的脱落与新生不能维持平衡
shí tóu fa rì jiàn xī shǎo zhè jiù kě néng
时，头发日渐稀少，这就可能
shì bìng tài le xū yào jī jí chá zhǎo tuō fà
是病态了，需要积极查找脱发
yuán yīn zuò chū zhěnduàn zhèng què zhì liáo
原因，做出诊断，正确治疗。

pèng pèng chē
碰碰车

pèng pèng chē　pèng pèng chē　lǐ bian zuò zhe xiǎo péng yǒu
碰碰车，碰碰车，里边坐着小朋友。
yí gè chē shang shì péng peng　yí gè chē shang shì píng ping
一个车上是朋朋，一个车上是平平。
péng peng kāi chē pèng píng ping　píng ping kāi chē pèng péng peng
朋朋开车碰平平，平平开车碰朋朋。
bù zhī shì péng peng pèng píng ping　hái shì píng ping pèng péng peng
不知是朋朋碰平平，还是平平碰朋朋。

游乐场

yóu lè huó dòng chǎng suǒ　zhǔ yào yǒu tài kōng fēi chē
游乐活动场所，主要有太空飞车、
xiǎo huǒ chē　ér tóng pèng pèng chē　diàn dòng wán jù　tán tiào
小火车、儿童碰碰车、电动玩具、弹跳
děng yì pī yóu lè shè shī　zhè xiē fēng fù duō cǎi de yóu lè
等一批游乐设施，这些丰富多彩的游乐
huó dòng shè shī　wèi ér tóng zēng zhǎng zhī shi　kāi kuò shì
活动设施，为儿童增长知识、开阔视
yě　cù jìn shēn xīn jiàn kāng fā zhǎn tí gōng le
野、促进身心健康发展提供了
liáng hǎo de tiáo jiàn
良好的条件。

péng hé píng
棚和瓶

hóng jiā dì xià yǒu gè péng　fénq jiā fáng shang yǒu gè píng
洪家地下有个棚，冯家房上有个瓶。
liǎng jiā māo er dǎ qǐ jià　nòng dǎo hóng jiā dì xià péng
两家猫儿打起架，弄倒洪家地下棚，
dǎ suì féng jiā fáng shang píng
打碎冯家房上瓶，
féng jiā yào péi hóng jiā dì xià péng
冯家要赔洪家地下棚，
hóng jiā yào péi féng jiā fáng shang píng
洪家要赔冯家房上瓶。
féng jiā bú ràng hóng jiā péi fáng shang píng
冯家不让洪家赔房上瓶，
hóng jiā bú ràng féng jiā péi dì xià péng
洪家不让冯家赔地下棚。

猫

māo néng huó dào　suì huò gèng cháng　shì xiǎo xíng jiā chù lǐ de gāo shòu zhě　dàn māo de píng jūn shòu mìng què méi yǒu zhè me gāo　yuán yīn shì yǒu xiāng dāng shù liàng de māo bèi rén yí qì huò shēng bìng ér zǎo shì　māo dào mù nián bìng bú huì gěi zhǔ rén dài lái duō dà má fan　yì bān shì shēng bìng hòu bú yuàn mì shí　jǐ tiān hòu jiù huì sǐ wáng

猫能活到17岁或更长，是小型家畜里的高寿者，但猫的平均寿命却没有这么高，原因是有相当数量的猫被人遗弃或生病而早逝。猫到暮年并不会给主人带来多大麻烦，一般是生病后不愿觅食，几天后就会死亡。

bàn miàn
拌面

suàn bàn miàn miàn bàn suàn
蒜拌面，面拌蒜，
chī miàn bàn suàn suàn chī miàn
吃面拌蒜算吃面；
miàn bàn suàn suàn bàn miàn
面拌蒜，蒜拌面，
chī suàn bàn miàn suàn chī suàn
吃蒜拌面算吃蒜。

蒜

qiān wàn bú yào xiǎo qiáo le suàn tā duì tí gāo miǎn yì
千万不要小瞧了蒜，它对提高免疫
lì hé yù fáng hū xī dào jí bìng yǒu jī jí de zuò yòng suàn
力和预防呼吸道疾病有积极的作用。蒜，
xìng wēn wèi xīn kě jiàn wèi shā jūn sàn hán shì
性温、味辛，可健胃、杀菌、散寒，适
hé yú fèi bìng huàn zhě shí yòng dà suàn fáng bìng yí shēng yòng
合于肺病患者食用。大蒜防病宜生用。
zuì xīn de yán jiū yòu fā xiàn cháng shí suàn hé cōng
最新的研究又发现常食蒜和葱
hái néng jiàng dī xuè zhī jiàng xuè táng jí jiàng xuè
还能降低血脂、降血糖及降血
yā ér qiě kě yǐ bǔ nǎo
压，而且可以补脑。

shuǐ tiān xiāng lián
水天相连

tiān lán lán, shuǐ lán lán, tiān shuǐ yí sè mǎn yǎn lán
天蓝蓝，水蓝蓝，天水一色满眼蓝。

tiān lián shuǐ, shuǐ lián tiān, tiān shuǐ xiāng lián wàng wú biān
天连水，水连天，天水相连望无边。

水

zhōng guó shì shuǐ zī yuán duǎn quē de guó jiā, rén jūn
中国是水资源短缺的国家，人均
zhàn yǒu liàng jǐn wéi shì jiè píng jūn shuǐ píng de sì fēn zhī yī,
占有量仅为世界平均水平的四分之一，
ér qiě shuǐ zī yuán fēn bù bù jūn héng, shuǐ tǐ wū rǎn yě hěn
而且水资源分布不均衡，水体污染也很
yán zhòng. yīn cǐ, yǒu bì yào zài quán guó fàn wéi nèi zǔ zhī
严重。因此，有必要在全国范围内组织
kāi zhǎn zī yuán jié yuē huó dòng, quán miàn tuī jìn
开展资源节约活动，全面推进
jié yuē néng yuán, yuán cái liào, shuǐ, tǔ dì
节约能源、原材料、水、土地
děng zī yuán yǐ jí zī yuán de zōng hé lì yòng.
等资源以及资源的综合利用。

sháo yǎo yóu
勺舀油

tóng sháo yǎo rè yóu
铜勺舀热油，
tiě sháo yǎo liáng yóu
铁勺舀凉油。
yǎo wán rè yóu tóng sháo rè
舀完热油铜勺热，
yǎo wán liáng yóu tiě sháo liáng
舀完凉油铁勺凉。
rè yóu hé liáng yóu
热油和凉油，
dōu děi yòng sháo yǎo
都得用勺舀。

植物油

rén men tōng cháng jiāng zhí wù li zhì qǔ de yóu chēng zuò zhí wù yóu
人们通常将植物里制取的油称作植物油。wǒ guó kě yòng yú zhì yóu de zhí wù de zhǒng lèi shì hěn duō de
我国可用于制油的植物的种类是很多的，rú dà dòu cài zǐ kuí huā zǐ děngděng
如大豆、菜籽、葵花子等等。àn zhào bù tóng zhí wù yóu liào zhǒng lèi jìn xíng fēn lèi
按照不同植物油料种类进行分类，cóng dà dòu zhōng zhì qǔ de yóu jiào dà dòu yóu
从大豆中制取的油叫大豆油，cóng huā shēng zhōng zhì qǔ de yóu jiào huā shēng yóu
从花生中制取的油叫花生油，hái yǒu kuí huā yóu mián zǐ yóu cài zǐ yóu mǐ kāng yóu děngděng
还有葵花油、棉子油、菜子油、米糠油等等。

zuǐ shuō tuǐ
嘴说腿

zuǐ shuō tuǐ ài pǎo tuǐ
嘴说腿爱跑腿，

tuǐ shuō zuǐ ài mài zuǐ
腿说嘴爱卖嘴。

guāng dòng zuǐ lái bú dòng tuǐ
光动嘴来不动腿，

guāng dòng tuǐ lái bú dòng zuǐ
光动腿来不动嘴，

bù rú bù zhǎng tuǐ hé zuǐ
不如不长腿和嘴。

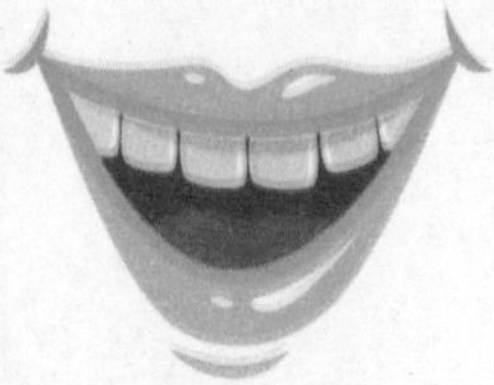

嘴

zài miàn bù biǎo qíng shang duì yú zuǐ de zuò yòng bù
在面部表情上，对于嘴的作用不
kě qīng shì zuǐ chún bì lǒng biǎo shì hé xié níng jìng duān
可轻视。嘴唇闭拢，表示和谐宁静、端
zhuāng zì rán zuǐ chún bàn kāi biǎo shì yí wèn yǒu diǎnr
庄自然；嘴唇半开，表示疑问，有点
jīng yà rú guǒ quán kāi jiù biǎo shì jīng hài zuǐ chún xiàng
儿惊讶；如果全开就表示惊骇；嘴唇向
shàng biǎo shì shàn yì lǐ mào xǐ yuè zuǐ chún xiàng
上，表示善意、礼貌、喜悦；嘴唇向
xià biǎo shì tòng kǔ bēi shāng wú kě nài hé zuǐ chún juē
下，表示痛苦悲伤、无可奈何；嘴唇噘
zhe biǎo shì shēng qì zuǐ chún bēng jǐn biǎo
着，表示生气；嘴唇绷紧，表
shì fèn nù duì kàng huò jué xīn yǐ dìng
示愤怒、对抗或决心已定。

huá hua hé huā hua
华华和花花

huá hua zāi le yì zhū téng luó huā
华华栽了一株藤萝花，
huā hua zāi le yì zhū lǎ ba huā
花花栽了一株喇叭花。
huā hua zāi de lǎ ba huā
花花栽的喇叭花，
rào zhù le huā hua de téng luó huā
绕住了花花的藤萝花；
huá hua zāi de téng luó huā
华华栽的藤萝花，
chán zhù le huā hua de lǎ ba huā
缠住了花花的喇叭花。
bù zhī shì téng luó huā xiān chán zhù le lǎ ba huā
不知是藤萝花先缠住了喇叭花，
hái shì lǎ ba huā xiān chán zhù le téng luó huā
还是喇叭花先缠住了藤萝花。

喇叭花

lǎ ba huā de yán sè tǐng duō yǒu hóng de yǒu lán
喇叭花的颜色挺多，有红的，有蓝
de děng zhè quán shì huā qīng sù zài biàn xì fǎ rú
的等。这全是花青素在“变戏法”。如
guǒ nǐ bǎ yì duǒ hóng sè de lǎ ba huā zhāi xià lái pào zài
果你把一朵红色的喇叭花摘下来，泡在
féi zào shuǐ li zhè hóng huā dùn shí biàn chéng le lán huā yuán
肥皂水里，这红花顿时变成了蓝花。原
lái zhè shì yīn wèi róng yè de suān jiǎn dù biàn
来，这是因为溶液的酸碱度变
le cóng ér yǐn qǐ huā qīng sù de biàn sè
了，从而引起花青素的变色。

bǔ dōu
补兜

dōu li zhuāng dòu, dòu zhuāng mǎn dōu.
兜里装豆，豆装满兜。
dōu pò lòu dòu, jí máng bǔ dōu.
兜破漏豆，急忙补兜。
xiān dào chū dòu, hòu bǔ pò dōu.
先倒出豆，后补破兜。
bǔ hǎo le dōu, zài zhuāng jìn dòu.
补好了兜，再装进豆。
dòu zhuāng mǎn dōu, dōu bú lòu dòu.
豆装满兜，兜不漏豆。

豆类食品

jīng cháng chī dòu lèi shí pǐn, jì kě gǎi shàn shàn shí de
经常吃豆类食品，既可改善膳食的
yíng yǎng sù gōng jǐ, yòu kě bì miǎn yīn chī ròu lèi guò duō ér
营养素供给，又可避免因吃肉类过多而
dài lái de yǐng xiǎng. yīn wèi dòu lèi shí pǐn dàn bái zhì hán liàng
带来的影响。因为豆类食品蛋白质含量
fēng fù, dǎn gù chún hán liàng què yuǎn yuǎn dī yú
丰富，胆固醇含量却远远低于
yú, ròu, dàn, nǎi.
鱼、肉、蛋、奶。

gǒu yǔ hóu
狗与猴

shù shang qí zhī hóu
树上骑只猴，
shù xià wò tiáo gǒu
树下卧条狗。
hóu tiào xià shù zhuàng le gǒu
猴跳下树撞了狗，
gǒu zhàn qǐ lái yǎo zhù hóu
狗站起来咬住猴。
bù zhī shì gǒu yǎo hóu
不知是狗咬猴，
hái shì hóu yǎo gǒu
还是猴咬狗。

猴

hóu mā ma duì zǐ nǚ shí fēn téng ài zǒng bǎ xiǎo hóu
猴妈妈对子女十分疼爱，总把小猴
bào zài huái li rú yù shàng liè rén wú fǎ táo tuō shí hóu
抱在怀里。如遇上猎人无法逃脱时，猴
mā ma huì bú duàn xiàng liè rén bǎi shǒu shì yì bú yào dǎ tā
妈妈会不断向猎人摆手，示意不要打它
men huò bǎ xiǎo hóu zi wèi bǎo nǎi hòu rán hòu yòng shǒu zhǐ
们，或把小猴子喂饱奶后，然后用手指
zhe zì jǐ de xiōng táng biǎo shì gān yuàn zì fù
着自己的胸膛表示甘愿自缚，
yǐ jiù hái zi
以救孩子。

chī bí qí
吃荸荠

bí qí bí qí yǒu zhòu pí，zhòu pí shàng miàn dōu shì ní。
荸荠荸荠有皱皮，皱皮上面都是泥。

yòng shuǐ xǐ qù pí shang ní，yòng dāo xiāo qù wài miàn pí。
用水洗去皮上泥，用刀削去外面皮。

bí qí méi le pí hé ní，gān gān jìng jìng chī bí qí。
荸荠没了皮和泥，干干净净吃荸荠。

荸荠

bí qí yíng yǎng fēng fù hán yǒu dàn bái zhì táng lèi zhī fáng yǐ jí duō zhǒng wéi shēng sù hé gài lín tiě děng kuàng wù zhì shēng shí qīng xiāng shuǎng kǒu ròu zhì xiān nèn kě yǔ shuǐ guǒ pì měi chú le shēng shí wài fàn guǎn cān tīng jiā tíng jūn kě yòng qí pèi cài bí qí xìng píng wèi gān wú dú jù yǒu qīng rè zhǐ kě lì shī huà tán zhǐ xuè lì děng gōng xiào

荸荠营养丰富，含有蛋白质、糖类、脂肪，以及多种维生素和钙、磷、铁等矿物质。生食清香爽口、肉质鲜嫩，可与水果媲美。除了生食外，饭馆、餐厅、家庭均可用其配菜。荸荠性平味甘，无毒，具有清热止渴、利湿化痰、止血痢等功效。

pàng wá hé xiǎo huā
胖娃和小花

pàng wá hé xiǎo huā　zhòng huā yòu zhòng guā
胖娃和小花，种花又种瓜，
huā yě bù kāi huā　guā yě bù jiē guā
花也不开花，瓜也不结瓜。
xiǎo huā wèn mā ma　zhè shì wèi gè shá
小花问妈妈，这是为个啥？
mā ma xiào hā hā　lái bǎ wèn tí dá
妈妈笑哈哈，来把问题答。
nǔ lì dú hǎo shū　duō xué wén huà kè
努力读好书，多学文化课。
zhòng huā huì kāi huā　zhòng guā huì jiē guā
种花会开花，种瓜会结瓜。

儿童肥胖

ér tóng féi pàng bù jǐn yǐng xiǎng qí měi guān　ér qiě
儿童肥胖不仅影响其美观，而且
yě yǐng xiǎng xué xí　shēng huó　jiàn kāng　féi pàng ér xué xí
也影响学习、生活、健康。肥胖儿学习
chà　shēn tǐ huài　yì shēng bìng　féi pàng yě shì péi yǎng
差，身体坏，易生病。肥胖也是培养
chéng nián jí bìng de wēn chuáng　mái xià gāo xuè yā　táng niào
成年疾病的温床，埋下高血压、糖尿
bìng　xīn zàng bìng　dòng mài yìng huà　ái zhèng
病、心脏病、动脉硬化、癌症
děng màn xìng bìng de huò gēn
等慢性病的祸根。

tāng tàng tǎ

汤烫塔

lǎo táng dēng bǎo tǎ，shǒu duān jī dàn tāng

老唐登宝塔，手端鸡蛋汤。

zhǐ yīn bǎo tǎ huá，tāng sǎ tāng tàng tǎ

只因宝塔滑，汤洒汤烫塔。

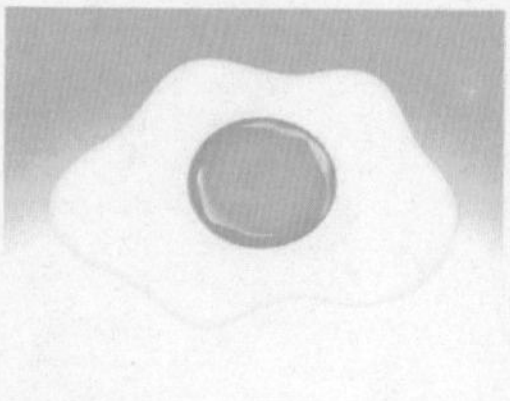

鸡蛋

jī dàn qīng hán de dàn bái zhì，zài dàn bái zhì píng fēn zhōng，bèi píng wéi fēn。jī dàn huáng hán de luǎn lín zhī zài rén tǐ nèi shì hé chéng “yǐ xiān dǎn jiǎn” de yuán liào，yǐ xiān dǎn jiǎn jiù shì rén men suǒ shuō de “jì yì sù”，jì xìng hǎo jiù yǒu luǎn lín zhī de gōng láo。

鸡蛋清含的蛋白质，在蛋白质评分中，被评为100分。鸡蛋黄含的卵磷脂在人体内是合成“乙酰胆碱”的原料，乙酰胆碱就是人们所说的“记忆素”，记性好就有卵磷脂的功劳。

fáng zi li yǒu xiāng zi
房子里有箱子

fáng zi li yǒu xiāng zi, xiāng zi li yǒu xiá zi
房子里有箱子，箱子里有匣子，
xiá zi li yǒu hé zi, hé zi li yǒu zhuó zi
匣子里有盒子，盒子里有镯子；
zhuó zi wài yǒu hé zi, hé zi wài yǒu xiá zi
镯子外有盒子，盒子外有匣子，
xiá zi wài yǒu xiāng zi, xiāng zi wài yǒu fáng zi
匣子外有箱子，箱子外有房子。

回文

huí wén shì lì yòng hàn yǔ de cì xù yǔ fǎ cí yì shí fēn líng huó de tè diǎn gòu chéng de yì zhǒng xiū cí shǒu fǎ
回文是利用汉语的次序、语法、词义十分灵活的特点构成的一种修辞手法。
yòng zài shī zhōng jiào huí wén shī, yòng zài qǔ zhōng zé jiào huí wén qǔ
用在诗中叫回文诗，用在曲中则叫回文曲。
huí wén shī yǒu duō zhǒng xíng shì, rú tōng tǐ huí wén jiù jù huí wén shuāng jù huí wén huán fù huí wén děng
回文诗有多种形式，如“通体回文”“就句回文”“双句回文”“环复回文”等。

qiáng shang fèng
墙上缝

qiáng bì liè le yì tiáo fèng, chě kuài mián bù bǔ bì fèng.
墙壁裂了一条缝，扯块棉布补壁缝。
bù zhī shì bì fèng bǔ mián bù, hái shì mián bù bǔ bì fèng.
不知是壁缝补棉布，还是棉布补壁缝。

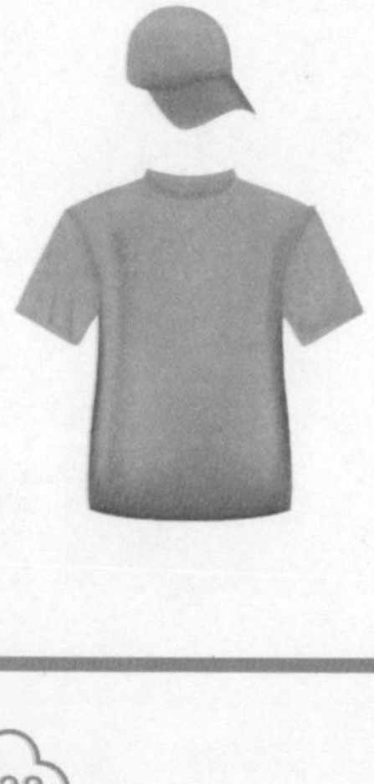

棉

chún mián shì zhì zào nèi yī zuì cháng yòng yě shì zuì shū shì de miàn liào. yóu yú mián bù běn shēn dú yī wú èr de tòu qì xìng hé tiān rán xìng, shǐ chuān zhe de gǎn shòu bù tóng yú qí tā miàn liào. chún mián de yī fu hái yǒu yí xiàng fēi cháng zhòng yào de gōngnéng: fáng tòu shì.
纯棉是制造内衣最常用也是最舒适的面料。由于棉布本身独一无二的透气性和天然性，使穿着的感受不同于其它面料。纯棉的衣服还有一项非常重要的功能：防透视。

pò wǎ zá bǒ luó
破瓦砸跛骡

lóu shang yǒu kuài pò wǎ，lóu xià shuān zhe bǒ luó。

楼上有块破瓦，楼下拴着跛骡。

pò wǎ luò xià zá le bǒ luó，bǒ luó tiào qǐ cǎi le pò wǎ。

破瓦落下砸了跛骡，跛骡跳起踩了破瓦。

骡子

bù shǎo chū cì jiàn dào luó zi de rén zǒng yào hào qí de kàn shàng yí huìr —— zhè jiā huo hǎo wán，jì xiàng lǘ，yòu xiàng mǎ，tǐng yǒu gè xìng。qí shí，luó zi shì yóu lǘ hé mǎ jiāo pèi ér shēng de zá jiāo dòng wù。duì luó zi ér yán，lǘ shì diē，mǎ shì mā！

不少初次见到骡子的人总要好奇地看上一会儿——这家伙好玩，既像驴，又像马，挺有个性。其实，骡子是由驴和马交配而生的杂交动物。对骡子而言，驴是爹，马是妈！

bǐ yǎn yuán
比眼圆

pō nán yǒu gè yán yuán yǎn
坡南有个严圆眼，
pō běi yǒu gè yuán yǎn yán
坡北有个圆眼严。
yí rì pō shang jiàn le miàn
一日坡上见了面，
liǎng rén pō shang lái bǐ yǎn
两人坡上来比眼。
bù zhī shì yán yuán yǎn de yǎn yuán
不知是严圆眼的眼圆，
hái shì yuán yǎn yán de yǎn yuán
还是圆眼严的眼圆？

眼睛

fēng fù de gài duì yǎn jing shì yǒu hǎo chù de gài jù
丰富的钙对眼睛是有好处的，钙具
yǒu xiāo chú yǎn jing jǐn zhāng de zuò yòng dòu lèi lǜ yè
有消除眼睛紧张的作用。豆类、绿叶
shū cài xiā pí hán gài liàng dōu bǐ jiào fēng fù shāo pái gǔ
蔬菜、虾皮含钙量都比较丰富。烧排骨
tāng sōng yú táng cù pái gǔ děng pēng tiáo fāng fǎ kě yǐ zēng jiā
汤、松鱼糖醋排骨等烹调方法可以增加
gài de hán liàng xī wàng nián qīng de fù mǔ men
钙的含量。希望年轻的父母们
duō gěi hái zi chī yì xiē yǒu yì yǎn jing de shí
多给孩子吃一些有益眼睛的食
wù cù jìn hái zi de jiàn kāng chéng zhǎng
物，促进孩子的健康成长。

dǎ gǒu
打狗

yé ye jīn nián liù shí liù
爷爷今年六十六，
tuī zhe xiǎo chē qù mài ròu
推着小车去卖肉。
bàn lù pǎo chū yì tiáo gǒu
半路跑出一条狗，
zhuī zhe chē zi yào chī ròu
追着车子要吃肉。
yé ye ná gùn qù dǎ gǒu
爷爷拿棍去打狗，
xià de è gǒu niǔ tóu zǒu
吓得饿狗扭头走。

狗

gǒu shì rén lèi de hǎo péng yǒu bǐ rèn hé zǒu shòu dōu
狗是人类的好朋友，比任何走兽都
shàn yú shì yìng huán jìng tā hái huì xié zhù rén lèi wán chéng
善于适应环境。它还会协助人类完成
jì huà zhào gù rén de ān quán bāng zhù rén bǎo hù rén
计划，照顾人的安全，帮助人，保护人。
tā bú xiàng rén nà yàng yǒu sī wéi de néng lì dàn shì tā yǒu
它不像人那样有思维的能力，但是它有
fēng fù de qíng gǎn tā hái bǐ rén duō yí gè
丰富的情感。它还比人多一个
yōu diǎn nà jiù shì zhōng chéng jiù shì ài ér
优点，那就是忠诚，就是爱而
yǒu héng
有恒。

wén xiān sheng hé wēng xiān sheng
文先生和翁先生

wén xiān sheng dōng bian lái zāi sōng
文先生东边来栽松，
wēng xiān sheng xī bian lái zhuàng zhōng
翁先生西边来撞钟。
wén xiān sheng de sōng zhuàng pò le wēng xiān sheng de zhōng
文先生的松撞破了翁先生的钟，
wēng xiān sheng zhuài zhù wén xiān sheng de nà kē sōng
翁先生拽住文先生的那棵松。
wén xiān sheng yào wēng xiān sheng fàng kāi tā de sōng
文先生要翁先生放开他的松，
wēng xiān sheng yào wén xiān sheng péi cháng tā de zhōng
翁先生要文先生赔偿他的钟。
wén xiān sheng bù kěn péi cháng wēng xiān sheng de zhōng
文先生不肯赔偿翁先生的钟，
wēng xiān sheng bù kěn fàng kāi wén xiān sheng de sōng
翁先生不肯放开文先生的松。

松树

sōng shù shì yǒu míng de cháng qīng shù dàn sōng shù yě bú shì yǒng yuǎn bú luò yè de qí shí zhǐ shì yīn wèi sōng yè de shòu mìng jiào cháng lǎo yè tuō luò qián yǐ zhǎng chū le xīn yè ér qiě xīn zhǎng chū de yè zi zǒng bǐ tuō xià de lǎo yè duō suǒ yǐ shù shang cái néng cháng nián bǎo chí yǒu dà liàng de lǜ yè yīn cǐ bèi yù wéi cháng qīng shù

松树是有名的常青树，但松树也不是永远不落叶的。其实只是因为松叶的寿命较长，老叶脱落前已长出了新叶，而且新长出的叶子总比脱下的老叶多，所以树上才能常年保持有大量的绿叶，因此被誉为常青树。

tóng tong hé duō duo
同同和多多

tóng tong hé duō duo
同同和多多，
dǎ gǔ yòu qiāo luó
打鼓又敲锣。
tóng tong dǎ tóng gǔ
同同打铜鼓，
duō duo qiāo tóng luó
多多敲铜锣。
tóng tong dǎ gǔ xiǎng dōng dōng
同同打鼓响“咚咚”，
duō duo qiāo luó dōng dōng xiǎng
多多敲锣“咚咚”响。

锣鼓

luó gǔ zài zhōng guó wén huà shǐ shang zhàn yǒu zhòng yào
锣鼓在中国文化史上占有重要
de dì wèi cóng gōng chéng jùn gōng kāi yè xǐ qìng
的地位，从工程竣工、开业、喜庆，
dào féng nián guò jié dōu shì luó gǔ zhèn tiān luó gǔ yǐ chéng
到逢年过节都是锣鼓震天。锣鼓已成
wéi zhōng huá mín zú yì zhǒng yú lè hé shè jiāo
为中华民族一种娱乐和社交
de gōng jù
的工具。

xuě bái xiě hóng
雪白血红

tiān shàng xià xuě
天上下雪，
shēn shang liú xiě
身上流血。
xuě shì bái de
雪是白的，
xiě shì hóng de
血是红的；
hóng de xiě bú shì bái de xuě
红的血不是白的雪，
bái de xuě bú shì hóng de xiě
白的雪不是红的血。

雪花

xuě huā de xíng zhuàng jí duō ér qiě shí fēn měi lì
雪花的形状极多，而且十分美丽。
rú guǒ bǎ xuě huā fàng zài fàng dà jìng xià kě yǐ fā xiàn měi
如果把雪花放在放大镜下，可以发现每
piàn xuě huā dōu shì yì fú jí qí jīng měi de tú àn xuě huā
片雪花都是一幅极其精美的图案。雪花
dà dōu shì liù jiǎo xíng de yì zhǒng chéng liù léng tǐ zhuàng
大都是六角形的，一种呈六棱体状，
lìng yì zhǒng zé chéng liù jiǎo xíng de báo piàn zhuàng
另一种则呈六角形的薄片状，
jiù xiàng cóng liù léng qiān bǐ shang qiē xià lái de báo
就像从六棱铅笔上切下来的薄
piàn nà yàng
片那样。

sān zì gē
三字歌

jīn nián sān yuè sān, xiǎo sān qù dēng shān
今年三月三，小三去登山。

shàng shān yòu xià shān, xià shān yòu shàng shān
上山又下山，下山又上山。

dēng le sān cì shān, pǎo le sān lǐ sān
登了三次山，跑了三里三。

chū le yì shēn hán, shī le sān jiàn shān
出了一身汗，湿了三件衫。

xiǎo sān shān shang hǎn: lí tiān sān chǐ sān
小三山上喊：“离天三尺三。”

壮族

měi nián nóng lì sān yuè sān qián hòu, zhuàng zú tóng bāo dōu yào jù jí dào shān pō、cǎo píng děng dì fang, jǔ xíng gē xū, duì chàng shān gē. zhuàng zú shān gē nèi róng fēng fù, yǒu qíng gē、zàn gē、pán wèn gē、nóng shì gē děngděng. shān gē suí biān suí chàng, yǐ gē pán wèn, yǐ gē dài yán, gē cí xíngxiàngshēngdòng, miào qù héngshēng.

每年农历三月三前后，壮族同胞都要聚集到山坡、草坪等地方，举行歌圩，对唱山歌。壮族山歌内容丰富，有情歌、赞歌、盘问歌、农事歌等等。山歌随编随唱，以歌盘问，以歌代言，歌词形象生动，妙趣横生。

bā lóu bā jiǎo shù
八楼八角树

chū dōng mén zǒu bā bù yǒu kē bā léng bā jiǎo shù
出东门，走八步，有棵八棱八角树。
bā zhī bā gē fēi shàng shù bā léng bā jiǎo zhǎng shàng shù
八只八哥飞上树，八棱八角长上树。
shù xià hái zi zhí fā nù shǒu ná dàn gōng shè dà shù
树下孩子直发怒，手拿弹弓射大树。
dǎ de bā gē lí kāi shù dǎ de bā jiǎo diào xià shù
打得八哥离开树，打得八角掉下树。

调料

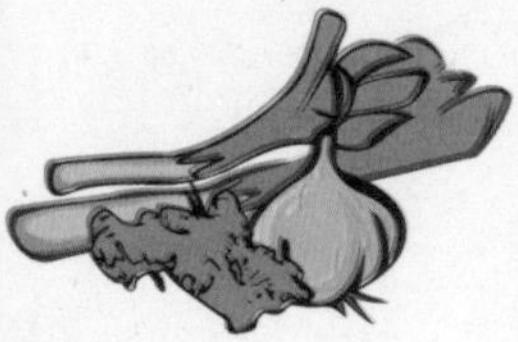

xià jì yán rè qì wēn gāo pēng rèn shí shǐ yòng rè xìng tiáo liào rú bā jiǎo huí xiāng xiǎo huí xiāng guì pí huā jiāo bái hú jiāo děng huì shǐ rén zào bù néng rěn hái huì yǐn qǐ yì xiē xiāo huà dào hé mì niào dào bìng zhèng yīn cǐ xià jì bù yí yòng rè xìng tiáo liào bì yào shí kě wēi liàng shǐ yòng huò yòng cōng huā suàn jiāng děng wēn xìng tiáo liào dài tì

夏季炎热，气温高，烹饪时使用热性调料，如八角、茴香、小茴香、桂皮、花椒、白胡椒等，会使人燥不能忍，还会引起一些消化道和泌尿道病症。因此，夏季不宜用热性调料。必要时可微量使用，或用葱花、蒜、姜等温性调料代替。

jiè dòu
借豆

chū le nán mén zǒu liù bù
出了南门走六步，
yù jiàn liù shū hé liù jiù
遇见六叔和六舅。
hǎo liù shū hǎo liù jiù
好六叔，好六舅，
jiè wǒ liù dǒu hǎo lǜ dòu
借我六斗好绿豆。
dào le qiū shōu le dòu
到了秋，收了豆，
zài huán shū jiù liù dǒu dòu
再还叔舅六斗豆。

绿豆

lǜ dòu shì xià rì qīng rè jiě shǔ de jū jiā liáng yào
绿豆是夏日清热解暑的居家良药。
wèi gān xìng hán néng xiāo shǔ zhǐ kě qīng rè jiě dú
味甘、性寒，能消暑止渴、清热解毒。
lǜ dòu yǔ dà mǐ gè bàn zhǔ zhōu fú jì néng jiě dú yòu
绿豆与大米各半煮粥服，既能解毒，又
jiàn pí wèi lǜ dòu de ké zhōng yào míng lǜ
健脾胃。绿豆的壳，中药名绿
dòu yī tóngyàng jù yǒu qīng rè jiě dú zuò yòng
豆衣，同样具有清热解毒作用。

lǜ lǐ yú
绿鲤鱼

nà na ná lái yì zhī bǐ
娜娜拿来一支笔，
huà le yì tiáo lǜ lǐ yú
画了一条绿鲤鱼。
nà na qí zhe lǜ lǐ yú
娜娜骑着绿鲤鱼，
dà jiāng dà hǎi qù lǚ xíng
大江大海去旅行。

看图学英语
green 绿色的

鲤鱼

lǐ yú shì yuán chǎn yà zhōu de wēn dài xìng dàn shuǐ yú
鲤鱼是原产亚洲的温带性淡水鱼。
xǐ huan shēng huó zài píng yuán shang de nuǎn huo hú pō huò shuǐ
喜欢生活在平原上的暖和湖泊，或水
liú huǎn màn de hé chuān li fēn bù zài chú ào zhōu hé nán
流缓慢的河川里。分布在除澳洲和南
měi zhōu wài de quán shì jiè hěn zǎo biàn zài zhōng guó yǔ rì
美洲外的全世界。很早便在中国与日
běn dàng zuò guān shǎng yú huò shí yòng yú zài
本当作观赏鱼或食用鱼，在
dé guó děng ōu zhōu guó jiā zuò wéi shí yòng yú bèi
德国等欧洲国家作为食用鱼被
yǎng zhí
养殖。

lín chán hé yè cán
林蝉和叶蚕

zhè shì chán
这是蝉，

nà shì cán
那是蚕。

chán zài lín jiān chàng
蝉在林间唱，

cán zài yè li cáng
蚕在叶里藏。

蚕

cán yuán lái shēng zài zì rán shēng zhǎng de sāng shù shang yǐ chī sāng yè wéi zhǔ suǒ yǐ yě jiào sāng cán sāng yè de pǐn zhì hǎo huài zhí jiē guān xì dào cán de jiàn kāng hé cán sī de zhì liàng zài sāng cán hái méi yǒu bèi sì yǎng zhī qián wǒ men de zǔ xiān hěn zǎo jiù dǒng de lì yòng yě shēng de cán jiǎn chōu sī le

蚕，原来生在自然生长的桑树上，以吃桑叶为主，所以也叫桑蚕。桑叶的品质好坏，直接关系到蚕的健康和蚕丝的质量。在桑蚕还没有被饲养之前，我们的祖先很早就懂得利用野生的蚕茧抽丝了。

chī jú zi
吃橘子

chī jú zi bāo jú pí
吃橘子，剥橘皮，
jú pí rēng jìn zhǐ lǒu li
橘皮扔进纸篓里。
bù chī jú zi bù bāo jú pí
不吃橘子，不剥橘皮，
bù bǎ jú pí rēng jìn zhǐ lǒu li
不把橘皮扔进纸篓里。

柑橘

chī gān jú néng qǐ dào kàng ái de zuò yòng ér qiě yuè
吃柑橘能起到抗癌的作用，而且越
tián de kàng ái xiào guǒ yuè hǎo zhè shì yīn wèi qí zhōng hán yǒu
甜的抗癌效果越好，这是因为其中含有
dà liàng de yù mǐ huáng zhì pǔ tōng rén yì tiān zuì hǎo chī
大量的玉米黄质。普通人一天最好吃
liǎng gè tián de gān jú zhè yàng fáng ái xiào guǒ zuì hǎo yì
两个甜的柑橘，这样防癌效果最好。一
bān lái shuō xíng zhuàng biǎn píng biǎo pí bǐ jiào
般来说，形状扁平，表皮比较
píng huǎn yán sè jiào shēn de gān jú gèng tián
平缓、颜色较深的柑橘更甜。

bái zì yáo

白字谣

bái jiā dà mén qián
白家大门前，
yì kē bái guǒ shù
一棵白果树，
jiē le bái guǒ guo
结了白果果，
tíng zhī bái bā ge
停只白八哥。

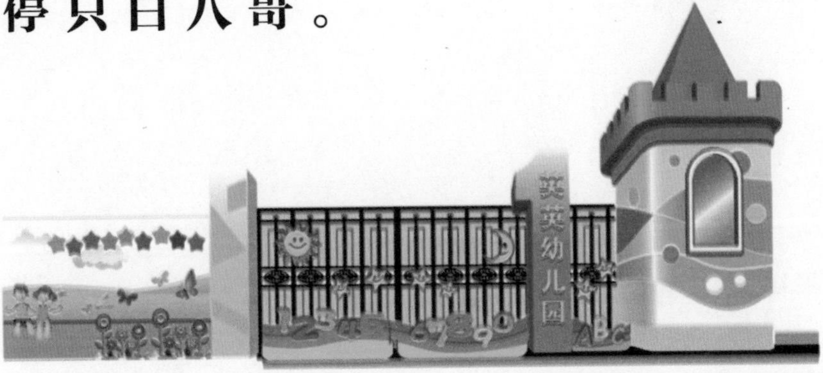

八哥

bā ge tǐ cháng yuē lí mǐ quán shēn yǔ máo hēi
八哥体长约25厘米，全身羽毛黑
sè ér yǒu guāng zé zuǐ hé jiǎo huáng sè é qián yǔ máo
色而有光泽，嘴和脚黄色，额前羽毛
sǒng lì rú guān zhuàng liǎng chì yǒu bái sè bān fēi xíng shí yóu
耸立如冠状。两翅有白色斑，飞行时尤
wéi míng xiǎn cóng xià miàn kàn wǎn rú bā zì gù yǒu
为明显，从下面看宛如“八”字，故有
bā ge zhī chēng ge wěi yǔ bái sè duō qī
八哥之称哥。尾羽白色。多栖
jū zài píng yuán de cūn luò tián yuán hé shān lín
居在平原的村落、田园和山林
biān yuán
边缘。

rén zào shén shén zào rén
人造神？神造人？

niū niu hé niú niu yì qǐ kàn guān yīn
妞妞和牛牛，一起看观音。
niū niu shuō shì rén zào shén
妞妞说是“人造神”，
niú niu shuō shì shén zào rén
牛牛说是“神造人”。
niū niu shuō bù fú niú niu niú niu shuō bù fú niū niu
妞妞说不服牛牛，牛牛说不服妞妞。
yí dào qù wèn shěn shen jiū jìng shì shén zào rén
一道去问婶婶，究竟是神造人，
hái shì rén zào shén
还是人造神？

观世音菩萨

guān shì yīn pú sà jiǎn chēng guān yīn pú sà yòu
观世音菩萨，简称观音菩萨，又
míng guān zì zài pú sà tā shì zhōng guó fó jiào zhōng zuì jù
名观自在菩萨，她是中国佛教中最具
yǐng xiǎng lì de pú sà yǐ xiū guān yīn fǎ mén ér wù dào
影响力的菩萨，以修观音法门而悟道，
zhèng guān yīn fǎ mén ér dé dà zì zài guān shì
证观音法门而得大自在，观世
jiān yīn xún shēng jiù kǔ yīn ér míng wéi guān shì
间音寻声救苦，因而名为观世
yīn pú sà
音菩萨。

yuè liang zǒu

月亮走

yuè liang zǒu wǒ yě zǒu
月亮走，我也走，
wǒ gěi yuè liang sòng dòu dou
我给月亮送豆豆。
sòng gěi yuè liang shang de xiǎo hóu hou
送给月亮上的小猴猴，
xiǎo hóu chī le dòu dou zhǎng ròu rou
小猴吃了豆豆长肉肉。

猴

hóu lèi duō bàn shù qī yě yǒu lù qī tā men yì
猴类多半树栖，也有陆栖。它们一
bān dōu guò qún jū shēng huó yǒu yí dìng de jiē jí cì xù
般都过群居生活，有一定的阶级次序，
dì wèi gāo de cháng wéi chéng nián qiáng zhuàng de gōng hóu hóu
地位高的常为成年强壮的公猴。猴
wáng dà duō shēn jīng bǎi zhàn duì yú shí wù
王大多身经百战，对于食物、
pèi ǒu huó dòng kōng jiān dōu yǒu yōu xiān xuǎn zé
配偶、活动空间都有优先选择
de quán lì
的权利。